PARA MIS QUERIDOS
ALFREDO Y ALMV
CON MUCHO CARIÑO

[firma] '/2021

Leopoldo Brandt Graterol

Cinco puntas

Novela
2020

Editorial
Lector Cómplice

Cinco puntas
©Leopoldo Brandt Graterol

1ª edición en español: diciembre 2020
©Editorial Lector Cómplice

Editora: Lesbia Quintero
Imagen de portada: ©Efraín Vivas Y.
Colección Saudade(www.efrainvivas.com)
Diseño de portada: Gustavo Fernández C. (GUFA)
(www.gufadesigns.com)
Diagramación de texto y montaje de portada: Mariano Rosas

Queda hecho el depósito que marca la ley
Depósito Legal: DC2020000807
ISBN: 9798583060740

Editorial Lector Cómplice
Caracas 1014 - Venezuela
E-mail: editorial.lectorcomplice@gmail.com
http://www.lectorcomplice.com

Agradecimientos

Mi más sincero agradecimiento a los que confiaron en el proyecto desde el principio. A mi mentor, Javier, y a mi paciente editora sentimental y amiga Karlinda.

A Lesbia, mi editora mágica.

A los que imaginan.

A mi ranita.

A todos, espero poder retribuirles algún día su apoyo.

No puedes hacer algo si no lo has imaginado, no puedes lograr algo si no te has imaginado haciéndolo.

George Lucas (al referirse a la saga de *Star Wars*)

Introito

Es, pues, la fe, la certeza de lo que se espera,
la convicción de lo que no se ve.

Hebreos 11:1

Señor Eustaquio Lucas, le habla Georgina, de la agencia de viajes,
ya está todo listo. He realizado los arreglos que pidió su hija. Espero
que disfrute sus vacaciones y se mejore. Hasta luego y feliz viaje.

Aquella mañana fue distinta. El taxista llegó temprano, como siempre, lo vi por la ventana mientras preparaba el café. Nos conocíamos desde hacía un año, quizá más, la enfermedad que transformó mi vida en un drama que nunca imaginé, también me hizo perder la relación con el tiempo. Desde que enfermé y dejé de conducir mi viejo auto, Agustín era quien me trasladaba a cualquier lugar que deseara visitar o me viera en la obligación de ir, como las consultas, por ejemplo. Él entraba con su taxi por la pequeña rotonda frente a mi casa y se estacionaba cerca de la puerta; a veces salía del auto para echar un vistazo, con aire ausente, y se recostaba del carro. Otras, se quedaba sentado leyendo el diario hasta que yo le hacía señas con una taza ofreciéndole café.

Ese día, como de costumbre, me asomé por la ventana de la cocina, desde allí se veía parte del jardín y de la hermosa rotonda que mi difunta esposa y yo mandamos a construir, con la idea, no solo de embellecer nuestro hogar, sino de entrar y salir con más facilidad de la casa, y estacionar ahí por si teníamos que salir de nuevo, como ocurría con regularidad en aquellos tiempos.

Ya era un hábito que, cuando Agustín me iba a buscar temprano, lo invitaba, con la misma señal, a tomar un café antes de partir. Él se acercaba al ventanal y yo le pasaba la taza humeante. Ese día se acercó y tomó la taza sin preocuparse de la temperatura. Me dio las gracias con una sonrisa. Era un hombre maduro, de pocas palabras, aunque su cabello canoso lo hacía ver mayor. Al entregarle el recipiente nuestras miradas se cruzaron y tuve la impresión de que había intuido mi desasosiego. Era posible, algunas personas tienen el don de la empatía, pero él jamás podría imaginar el infierno que yo llevaba por dentro.

Cuando se pierde la fe se pierde el norte, el rumbo. Creer en algo, aferrarse a una creencia es, quizá, la única forma de permanecer en este mundo sin enloquecer de dolor ante tanta injusticia y misterios insondables que nos sumen en profundas angustias. ¿Cómo acercarse al fin de la vida sin experimentar impotencia frente a todo aquello que no comprendemos y, por tanto, no podemos controlar? Uno pasa la vida sin percatarse, en realidad, de que el tiempo nos deja de lado, y con él todas nuestras esperanzas. Al menos así lo pensamos, a veces. En este momento me encuentro en ese borde, a punto de caer. Nada funciona. Busco algo para aferrarme, pero he perdido la fe. Anhelo una persona, recuerdos de mi niñez, alguna palabra que haga brotar la esperanza dentro de mí. Hasta recordar lo que me agrada se ha vuelto difícil. Una depresión crónica ha minado mi autoestima y ha empeorado mi salud. Solo percibo vestigios de períodos comatosos, vividos en los últimos años, que han consumido porciones de mi memoria y de mi flaqueante ánimo.

***

Media hora después ya estábamos en marcha. Agustín me conocía bien y, cuando dejé de responder a sus comentarios sobre política y fútbol, guardó silencio durante el trayecto al aeropuerto. En el tablero del auto llevaba fotos de familia. Su hijo Fabián había nacido en Estados Unidos y sus nietos parecían más gringos que portugueses. Con orgullo tocaba las fotografías, tal vez evocando abrazos a distancia. Se despidió de mí con una palmada en la espalda, como siempre.

Cuando mi presencia activó el censor de las puertas automáticas en el terminal, sentí un tirón y pensé que se me había atascado el pantalón al atravesar la puerta, de inmediato miré hacia atrás. Un hombre, que se hallaba echado en el piso, estaba sujetando uno de los ruedos de mi pantalón y extendía su mano hacia mí. Sorprendido, me volví hacia él y lo observé, noté que tenía una mirada melancólica, no obstante, sus ojos brillaban con un fulgor especial, ese detalle me llamó poderosamente la atención. Me di cuenta de que no tenía aspecto de indigente, al contrario, se veía pulcro. Su aparición fue sorprendente, pues no lo había visto, de hecho, esa entrada y sus alrededores estaban solos, no vi a nadie en cientos de metros a la redonda.

Él continuó viéndome, pero sin arrogancia ni temor, entonces me percaté de que no era un mendigo, y de inmediato pensé que quería robarme. De pronto movió su mano tratando de tocarme y reaccioné en el acto sujetándole el brazo. Era un hombre fuerte, con marcas en las muñecas, como si se las hubiera atravesado un objeto punzante. Él no se amilanó y, aferrándose a mi mano, se impulsó poniéndose de pie de un salto. Todo fue tan rápido que no me dio tiempo de nada. El contacto con su mano me produjo una rara sensación de corrientazo cálido, jamás había experimentado algo parecido, me quedé viendo cómo se arregló la gabardina con rápidos movimientos que, a pesar de la prisa, me permitieron ver una cadena con una estrella de cinco puntas que le colgaba del cuello. Luego se alejó a grandes zancadas sin pronunciar ni una palabra. Lo miré aturdido mientras se marchaba.

La puerta de acceso al terminal comenzó a cerrarse automáticamente y se activó la alarma. De repente él se volvió hacia mí y, sin dejar de caminar, me hizo señas señalándome la estrella. En ese momento un guardia se acercó para ayudarme a entrar. Agradecí al joven y le entregué mi pequeña maleta. Antes de entrar me volví, pero aquel enigmático hombre ya había desaparecido.

La encargada de la línea aérea selló mis boletos y me los regresó.

—Estos son sus documentos —dijo con su voz monótona—, le toca el asiento D-2. El vuelo partirá en media hora. Gracias por volar con nosotros, que disfrute su estancia en el Caribe.

—Muchas gracias —le contesté, mientras lanzaba una mirada alrededor.

—Está muy solo, ¿verdad?

—No entiendo —respondí.

—Me refiero a que este lugar está solo porque en este horario solo somos tres personas.

—¡Oh, ya! —dije, sin comprender qué quería decir aquella chica.

Caminé por el desolado pasillo de la aerolínea y minutos después abordé mi vuelo. Crucé la puerta del avión, tarareando en voz baja, ante la mirada de la aeromoza y un asistente.

Casi obligado por mi mejor amiga, quizá la única persona que me comprende, tomé este vuelo desde Miami a República Dominicana, sin saber qué esperar, si terminar de morir o resucitar. El avión despegó con toda normalidad, se estabilizó a 25.000 pies. La presión me tenía los tímpanos destrozados. Uno de los asistentes de cabina se dio cuenta.

—¿Se siente bien señor? —preguntó solícito—, vaya, si usted es el de la canción —afirmó con una sonrisa.

—¿Cómo te diste cuenta? —pregunté.

—Es mi canción favorita —dijo, *Ángel de amor,* del grupo Maná.

—Veo que no soy el único a quien se le pegó la canción —comenté.

—No puedo sacarme el video de la cabeza —dijo el chico, mientras arreglaba la pequeña almohada del respaldo—. Ahora se sentirá mejor. Siga cantando, esa canción trata de la esperanza. Avíseme si necesita algo más —acotó, al tiempo que se alejaba por el pasillo apuntando al pequeño botón rojo sobre mi cabeza.

Tengo el sistema respiratorio inflamado por una alergia que me diagnosticaron cuando era niño, pero nunca fue curada. Ahora, mientras mi mente divaga en recuerdos, mis ojos están llenos de lágrimas. La enfermedad siempre ha sido una excusa para esconderme, otra máscara más de las que he llevado durante toda mi vida. Problemas como el cáncer o las inexplicables y reiteradas pérdidas de conocimiento parecen insignificantes frente a mi estado de desaliento. Había soñado durante meses con volar a Punta Cana, donde disfruté algunos días de felicidad cuando era niño, esa idea me levanta un poco el ánimo. Esperaba que de alguna forma mi situación emocional y física mejorara.

Se encendió la señal, escuché al piloto que notificaba, en un inglés incomprensible, nuestra aproximación a la pista. El avión dio un giro, luego bajó el tren de aterrizaje. El vuelo finalmente culminó. Ya había amanecido y el sol comenzaba a calentar.

Una vez instalado en mi bungalow, me apresuré a salir y dar una vuelta por la playa. Como siempre, cada vez que me acercaba al mar sentía el llamado de una fuerza a la que no podía resistirme. Percibía el sonido de las olas como una suave melodía parecida a esa que escuchamos cuando acercamos una caracola a nuestro oído. Me gustaba meditar frente al mar, mientras las olas lamían mis tobillos, una ráfaga de viento me hizo estremecer, pero me mantuve en la orilla. Al igual que a los ocho años me hacía la misma pregunta: ¿qué estarán haciendo en este preciso momento los habitantes marinos? Pensaba en particular en los delfines, mis favoritos. Comencé a recorrer la línea costera y, súbitamente, mi bloqueo mental comenzó a ceder, poco a poco, comenzaron a emerger vagos recuerdos de mi niñez. Reminiscencias incompletas empezaron a replegarse, dando paso a evocaciones cada vez más nítidas.

Aquello que creí olvidado fue resurgiendo lentamente. Como un relámpago pasó por mi mente la imagen de una balsa con un trampolín del que los niños saltaban. Por años sentí temor al imaginar que debajo de ella vivieran monstruos que me llevarían hasta el fondo. Cuando alcancé la adolescencia mi hermano mayor me mostró la verdad. Al sumergirnos veíamos nuestras sombras en el fondo, a poca profundidad. Cada veinte o treinta segundos alguien saltaba y, al llegar al fondo, se impulsaba hacia la superficie. Siempre nadábamos sujetándonos al borde de la balsa, tomábamos aire y bajábamos la cabeza para ver a la gente atemorizada por el monstruo. Quienes nos veían con los brazos extendidos quizá creían que tratábamos de levantar la balsa. La fachada era resbalosa por las algas, aunque los salvavidas la secaban y lijaban durante los fines de semana.

Pero el pasado quedó atrás, pensé con desazón. El tiempo lo ha cambiado todo, quizá más de lo que imaginé. Aquel día, mientras recorría la playa, me detuve al notar que un hombre se encontraba a unos cincuenta metros de donde yo estaba contemplando el horizonte. Era un tipo blanco, joven, quizá de treinta y cinco años, con el cabello corto y nariz aguileña. Vestía una franela blanca en la que se advertían algunas manchas, y un pantalón corto con diseño de flores hawaianas; también llevaba un collar de caracoles. A pesar de su aspecto desgarbado, de él emanaba un aura especial. Lo noté seguro de sí mismo, como si tuviera pleno control de su vida. Parecía que dominaba el clima, el viento, el mar, el tiempo. Me hizo señas para que me acercara, y respondí afirmativamente a su invitación. Me sentía a gusto con él. Se quedó viendo hacia la playa mientras el viento soplaba.

—Sé lo que te pasa, amigo —dijo de pronto—, has perdido la fe, ¿verdad?

Me quedé extrañado, no esperaba esas palabras. Imaginé que, como cualquier turista que desea conversar con otro, me hablaría del clima o las bondades del lugar. No obstante, algo en su presencia me impulsó a contestarle de inmediato.

—Es verdad —respondí— perdona la pregunta —continué—, ¿acaso nos conocemos, nos hemos visto antes? Tu cara me resulta familiar —dije con la idea de obtener información. La verdad es que aquel individuo me produjo curiosidad. Tal vez por las emociones de las últimas horas, sentía que él podía leer mi mente solo con verme.

—No recuerdo habernos conocido, al menos no en esta vida —contestó sonriendo.

—Disculpa que no comparta tu estado de ánimo —respondí sin entusiasmo—, tengo algunos problemas de salud que no vienen al caso…

—Lo sé, y por eso el destino nos ha unido —dijo, sin dejar de sonreír—. Tengo una misión que cumplir, y en esta ocasión tú eres el elegido. Este encuentro no ha sido casual como parece.

—La verdad es que no te entiendo —dije algo molesto, pensando que aquel desconocido me estaba tomando el pelo.

—Estoy contento de que nos hayamos conocido —dijo—, te contaré una historia que sucedió hace mucho tiempo.

Sin saber por qué me quedé escuchándolo mientras caminábamos hacia las sillas playeras, ubicadas estratégicamente debajo de unas frondosas palmeras.

Capítulo I

No te engañes. Los seres humanos solo traen problemas.

F. Dostoyevski

L a atmósfera comenzaba a recibir los efectos ocasionados por la fuerza de gravedad de los planetas que iban alineándose. Plutón, Mercurio, Venus, Marte, Júpiter, Saturno y la Tierra, se alinearían por tres días, tal y como muchos predijeron años atrás. El evento que se avecinaba había ocurrido solo una vez en la historia de la humanidad, cuando María dio a luz a su hijo en un humilde pesebre.

Sin embargo, a miles de metros debajo de la atmósfera, la situación era diferente a los míticos tiempos de los Reyes Magos. Como se había venido advirtiendo durante años, los suministros de agua estaban en situación crítica, casi la totalidad de los bosques estaba perdida, la contaminación afectaba las costas y sus habitantes. Una gran parte de las zonas marítimas del mundo fueron restringidas. El grupo denominado «pensamiento pesimista», señaló que la población mundial había crecido mucho más rápido que los suministros de alimentos. Los recursos naturales se hallaban en estado crítico, casi el 60 % de las especies conocidas se había extinguido. Miles de personas morían a diario luchando por obtener un trozo de pan, algo de beber o una razón que les diera fuerza para continuar. Muchos centros de investigación fueron llamados a colaborar, algunos no se dieron por enterados y continuaban en sus investigaciones privadas, como el doctor Lucius Green.

***

A pesar de que las instalaciones del laboratorio eran obsoletas, el edificio contaba con espacio suficiente para instalar tres clínicas independientes. El inmueble tenía varias alas, una estaba constituida por un anexo de ladrillo rojo que fue acondicionado para vivienda de algunos científicos. Allí se ubicaban tres apartamentos en los que se alojaba el personal del laboratorio privado del doctor Lucius. El científico había preferido ese viejo Complejo porque estaba aislado, nadie parecía interesado en aquel inmueble.

Desde el exterior su apariencia era descuidada, se veía como un edificio abandonado. En realidad, Lucius Green no le daba importancia al aspecto, la fachada no le interesaba en absoluto. No obstante, la vetusta construcción en medio del frondoso bosque ofrecía un aspecto imponente. El lugar semejaba una estampa romántica, quizá porque desde allí se divisaban las ruinas de un antiguo cementerio abandonado. Diez kilómetros más allá se encontraba el laboratorio de la doctora Simonetta Filo. La doctora Ana y ella eran amigas desde bachillerato. Su pasión por la botánica se manifestó desde los años universitarios, cuando inició sus estudios de biología y comenzó a colaborar en un proyecto sobre las propiedades curativas de la clorofila, término que, por la similitud con su apellido, causaba gracia. Las científicas se reencontraron allí por azar, años después de que se graduaran.

Simonetta Filo era una mujer hermosa, debía rondar los cuarenta años, pero nunca se había casado. Tenía una cabellera roja rizada que hacía honor a la modelo del Renacimiento italiano. Aunque no le prestaba mucha atención a su arreglo personal, siempre lucía radiante. Ella tenía alrededor de cuatro años instalada en su laboratorio cuando Lucius tomó posesión del viejo y olvidado Complejo. No tardó mucho en acercarse a sus nuevos vecinos para darle la bienvenida. El científico quedó gratamente impresionado por la bióloga, y ella no ocultó su interés por el genetista.

***

En claro contraste con su exterior, las instalaciones internas del laboratorio eran amplias, modernas y bien cuidadas. La estancia de biotecnología se hallaba ocupada con equipos, estanterías de plexiglás, reactivos, microscopios con cubiertas protectoras, y máquinas especialmente diseñadas para manipular muestras de forma automática, lo cual ayudaba a los investigadores porque no requerían de una atención permanente. El suave zumbido de las campanas de ventilación inundaba el espacio, mientras algunas máquinas emitían luces de un azul eléctrico que iluminaban ciertas áreas del recinto. Allí trabajaba un equipo compuesto por el doctor Lucius Green, genetista biomolecular y jefe de la investigación. La doctora Ana Mazzini, bióloga molecular y especialista en fertilidad y Tomás Johnson, un periodista científico que luego estudió biología e hizo una especialización en células madre. Este pequeño grupo se desempeñaba como asistente del doctor Green. También laboraban allí cuatro técnicos de investigación, dos secretarias y tres obreros de mantenimiento, de los cuales Mark era el único que tenía acceso al laboratorio de Lucius y a otras estancias reservadas. Con ese pequeño equipo el brillante genetista, y posible premio Nobel, realizaba una investigación sobre células madre pluripotentes inducidas.

No obstante, el verdadero altar de Lucius Green era su laboratorio privado, un pequeño espacio al que solo tenían acceso sus dos asistentes y Mark. Allí trabajaban en las tardes, después de que el personal se marchaba, generalmente se quedaban hasta altas horas de la noche, lo cual no era problema para ellos, pues vivían en el mismo centro de investigación. Ese proyecto casi secreto fue bautizado por el doctor Lucius como la Molécula de Turín.

***

Frente al edificio se hallaba un estacionamiento enorme, en la parte trasera se apreciaba un patio con unos jardines abandonados, una vereda casi cubierta de maleza desembocaba en un sendero de pinos que conducía a una laguna, desde la cual se podía ver el cementerio. A diferencia del descuidado aspecto externo del laboratorio, el interior, iluminado por poderosos fluorescentes empotrados en el techo, alumbraban estancias impecables en las que se veía un despliegue de instrumental tecnológico de alta gama. Pocos sabían que allí se encontraba una avanzada tecnología, casi desconocida por la mayoría. Para sus colegas y el entorno científico, en aquel lugar se seguía trabajando en el campo de la biotecnología como hacía cinco años, cuando se inició un proyecto solicitado por el Vaticano. Aparte del doctor Lucius Green, Tomás Johnson y Ana Mazzini eran los investigadores que quedaban del grupo original. Los otros se marcharon a Italia cuando el Concejo Científico del Vaticano dio por concluido el proyecto. Lucius siguió investigando por su cuenta el proceso molecular, nadie sabía que, a espaldas del mundo, allí se desplegaba un extraordinario proyecto de ingeniería genética.

Las instalaciones de investigación que Lucius seleccionó para su uso albergaban algunos equipos viejos que contrastaban con avanzadas computadoras y el moderno instrumental que se observaba en el recinto. Su laboratorio particular era más pequeño que el principal. El techo casi siempre se hallaba cubierto de neblina por la baja temperatura en el ambiente.

Las paredes estaban recubiertas de cerámica azul clara, al igual que el piso. Una luz blanca azulada emanaba de los fluorescentes instalados en el techo e iluminaban la estancia. Un extremo estaba ocupado por un amplio panel lleno de frascos para muestras, tubos y otros objetos del instrumental que el científico utilizaba a diario. En otra punta destacaban unos monitores que contenían varias bibliotecas digitales con secuencias genéticas de muchos años. En el fondo se ubicaba la oficina del doctor Lucius, era pequeña, tenía una ventana protegida por rejas, a través de ella se veía la copa de los frondosos pinos del bosque. Una docena de archivadores se hallaban pegados de las paredes, en un costado se ubicaba una consola con dos monitores y muchas carpetas.

Los archivadores estaban repletos de muestras y documentos procedentes de varias partes del mundo. Cada historial era una guía que englobaba las características asignadas a genes y estructuras moleculares de ADN. En esa misma área se ubicaba un pequeño *loft* del cual irradiaba una suave luz que le daba una atmósfera acogedora, a diferencia de la espectral iluminación del laboratorio principal que provenía de una luz blanca. Las paredes lisas y sin adornos estaban pintadas de blanco, los muebles eran de plástico, con uniones hechas por tornillos transparentes. Desde su oficina, el doctor Green monitoreaba al ocupante del pequeño recinto mediante un circuito cerrado.

***

Después de años de un meticuloso trabajo, la habitación, al fin tenía un huésped, no una persona cualquiera, aunque su aspecto físico era el de alguien común. Los exámenes, en cambio, demostraban un alto índice intelectual, una profunda capacidad de comprensión, y habilidades para entender y hablar otros idiomas. El joven había superado con un gran margen las pruebas de inteligencia emocional. Por si fuera poco, demostró poseer una rara condición psíquica y psicológica que Lucius y su equipo estaban estudiando. El doctor Green sabía que nadie en el ámbito científico había logrado semejante proeza. Él se sentía lleno de satisfacción, aunque admitía que el resultado también le producía cierto temor. La prueba final consistía en que el clon que había sido hecho en aquel laboratorio, tuviera su primer contacto con el mundo. El doctor Green temía cualquier reacción que pudieran causar agentes físicos sobre la estructura molecular de su pupilo. Durante los tres años previos a esta prueba, nadie se acercaba a él sin el debido traje de protección, y la estancia donde vivía Salvador, como fue bautizado por Lucius, mantuvo una atmósfera controlada. Luego, y bajo una observación permanente, fueron prescindiendo de ciertas prendas hasta que llegó el momento de interactuar con el joven vestidos de forma normal.

El doctor Green lo había llamado Salvador debido a la crisis mundial. A pesar de haber nacido de manera artificial, era un chico común y corriente, como cualquier persona. Su rostro se perfilaba contra la luz azulada de los fluorescentes y resaltaba sus facciones perfectas, la lisa melena negra le llegaba hasta los hombros y le otorgaba un aspecto sexy y moderno. Él sabía que era diferente. Su estructura genética le había permitido asimilar, al poco tiempo de su creación, casi la totalidad del material de todos los archivos del laboratorio. Digería la información más rápido de lo que aparecía en pantalla.

***

Aquella mañana un semáforo en la sala cambió de color por varios segundos. Luego, la luz amarilla comenzó a parpadear, era la señal para iniciar la última prueba de aquella fase.

—No tienes nada que temer —susurró la voz de Lucius Green a través de los parlantes hábilmente camuflados en las columnas del *loft*.

Luego Salvador vio a sus amigos. El rostro se le iluminó.

El equipo científico observó cómo la habitación ascendía igual que un portaaviones. El trayecto era corto dado que el Complejo solo tenía tres pisos. El primero a nivel del suelo, el segundo a nivel de la cámara de observación y el tercero en la azotea, en la cual los helicópteros aterrizaron alguna vez cuando aquellas instalaciones llevaban una vida más agitada y menos clandestina.

Hoy solo había cinco personas allí: el doctor Lucius Green, Salvador, la doctora Ana, asistente del doctor Green; Tomás Johnson y Mark. El techo se fue abriendo y los rayos del sol comenzaron a bañar el cuerpo de Salvador por primera vez en su corta existencia. Finalmente, la habitación quedó al aire libre y la cubierta se replegó por completo dentro del techo.

Salvador dio algunos pasos sin salir de su habitación, temeroso de aventurarse más allá del seguro ámbito familiar. Todo era perfecto. Los rayos de sol comenzaron a calentar su piel. La brisa del valle soplaba apacible acariciando su cuerpo. El joven presenciaba el bosque que rodeaba el Complejo con naturalidad. Poco a poco el techo y las ramas de los pinos cercanos se fueron llenando de aves de todo tipo. Luego pudieron escuchar el sonido de animales en las montañas cercanas. Nunca antes se había visto tal variedad de fauna en la zona. Lucius, Ana y Tomás estaban fascinados. Mientras ellos observaban la actitud del joven, Mark, por indicaciones de Lucius grababa toda la secuencia, esmerándose en cada escena, como un director de cine.

Lucius estaba profundamente emocionado. En una milésima de segundo su vida comenzó a cruzar por su mente, sus dudas acerca del avance y el éxito del proyecto lo agobiaron tanto durante años que, aún después de haber triunfado, seguía temiendo al fracaso. Él no podía creer lo que estaba ocurriendo. La brisa comenzó a arreciar y los pinos a agitarse. De pronto se produjo un silencio absoluto. Salvador dio algunos pasos hacia el centro de la plataforma y extendió los brazos. El clima comenzó a cambiar abruptamente y las nubes empezaron a condensarse, al tiempo que se oscurecían un poco, dando paso a una ligera llovizna. De repente un relámpago hendió los nubarrones y un rayo impactó contra uno de los pinos cercanos. Los animales se agitaron intranquilos, emitiendo sonidos que pronto se transformaron en una algarabía.

Ana dirigió una rápida mirada a Lucius, pero este le hizo una seña para que se quedara donde estaba. Ninguno perdía detalle y observaba todo con atención, rogaron para que la grabación quedara perfecta y Mark hubiese recogido aquella inesperada escena.

En efecto, el empleado estaba concentrado en su tarea y se esmeraba en captar todos los detalles que rodeaban aquel extraño evento. Nadie pudo verlo en ese momento, pero la estrella de cinco puntas que llevaba en su cuello brillaba con unos misteriosos fulgores. Salvador se veía complacido con lo que estaba ocurriendo a su alrededor. El joven abrió los brazos y pronunció palabras que ninguno pudo escuchar. Se quedaron observándolo mientras Salvador miraba al cielo.

—Al fin estoy en el mundo. Siento que he despertado de un sueño largo y extraño —les dijo sonriendo con inocencia.

***

A diez kilómetros de allí se localizaba el laboratorio de la doctora Filo. Sus trabajos eran casi tan reservados como los del doctor Green, aunque el objeto de sus estudios era totalmente diferente. La vena catedrática de la científica, experta en plantas y cruces vegetales, se complementaba con el carácter investigador de la científica. Siempre trataba de enseñar a quienes visitaban sus invernaderos y el laboratorio. Aquella mañana estaba en su invernadero cuando notó una bandada de pájaros que revoleaban por los alrededores. Sintió curiosidad y salió para verlos, quedó de una pieza al ver liebres que corrían por el patio, cervatillos y otros animales. Jamás había presenciado nada similar.

De pronto la suave brisa se fue tornando en un viento tan fuerte que la obligó a refugiarse de nuevo en el invernadero. Abrió la puerta que comunicaba con el laboratorio y corrió hacia allí. Encontró a sus asistentes maravillados viendo cómo algunas plantas que estaban estudiando erguían los tallos estremecidos en los tubos y bañeras.

La gente hacía referencia al increíble efecto fosforescente de algunas reacciones químicas derivadas de sus experimentos que, algunas veces, envolvían a la mujer como si fuera un halo dejando pequeñas manchas en su piel, pero esta vez, un resplandor verdoso reverberaba en toda la habitación.

Capítulo II

He vivido solo, siempre, como consecuencia de una especie
de malestar que me inspira la presencia de otros.

Guy de Maupassant

A quella mañana, Judas McLife se hallaba absorto mirando el río Ottawa desde el ventanal de su despacho. Tenía
el ceño fruncido y las manos en los bolsillos de los pantalones. En esos momentos no veía la belleza del paisaje, toda su
atención se enfocaba en el informe que le dio George Bellow, el
jefe de su equipo de Operaciones de Seguridad. De acuerdo con
la información que había recibido, debía actuar de inmediato.

Gracias a la eficaz agencia de Judas, Lucius Green había
logrado patentar y licenciar un tipo de células madre pluripotentes inducidas con las cuales estaba trabajando para crear órganos
capaces de ser trasplantados, sin correr el riesgo de que el cuerpo
del paciente lo rechazara. Era el descubrimiento del siglo, y la
agencia de Judas tenía la exclusividad para comercializar aquel
producto milagroso que salvaría la vida de millones de seres humanos. Lucius Green acababa de ser nominado al Premio Nobel.

Ahora sospechaba que Lucius no le había dicho toda la
verdad sobre sus trabajos en el Complejo, que pudo comprar

mediante un financiamiento que Judas le consiguió. Hacía un par de años que McLife introdujo un espía en el laboratorio del doctor Green, era una práctica que realizaba siempre. Tenía agentes en todos los negocios que le incumbieran a su empresa. A veces pasaban años en esos lugares trabajando y no averiguaban nada que valiera la pena, otras veces podían, incluso, robar información. Cada caso era único. En relación al laboratorio de Lucius Green, el reporte de su informante, decía que Lucius Green y su equipo de confianza, formado por los dos asistentes, estaban inmersos en una investigación que mantenían sellada a cal y canto. Judas sabía que en muchos laboratorios se podía ejecutar hasta dos o tres proyectos a la vez, sin embargo, le pidió al infiltrado que se mantuviera atento. Había pasado alrededor de un año desde su última entrevista cuando de repente lo contactó. Fue así como supo que Lucius estaba trabajando en un proyecto que bautizó como la Molécula de Turín, y Judas comenzó a unir cabos. El espía no había podido averiguar nada más allá del nombre, pues no tenía acceso al laboratorio particular del doctor Green. El dato lo obtuvo por un desliz de Tomás, que se percató a tiempo y trató de disimular, pero ya la referencia estaba anotada.

Recordaba el proyecto Simeón, que se remontaba a cinco años antes, cuando Lucius Green había empezado a trabajar en esa investigación con un equipo de científicos del Vaticano, Lucius había logrado aislar la cadena de ADN, que era el objetivo del Concejo Científico, y luego, pasado un año, concluyeron aquel proyecto. Ahora, Judas tenía la certeza de que Lucius había persistido en su idea de conocer la identidad del amortajado con aquel lienzo. Muchas veces le había hablado de esa obsesión, luego le confesó la negativa del Vaticano a continuar esa investigación. El día que cancelaron el proyecto Lucius lo llamó, estaba triste, pero dispuesto a seguir solo. Judas sabía que cuando una investigación le interesaba, no existía fuerza que lo hiciera desistir.

Él conocía a Lucius Green desde hacía muchos años, estudiaron juntos unos cursos en la universidad y, tiempo después, llegaron a trabajar en una misma investigación. Sabía que Lucius Green era tan ambicioso como él, y podía llegar al sacrificio si era necesario para alcanzar algún objetivo. Recordaba a Lucius en la universidad, su tenacidad, el empeño en el desarrollo de su proyecto con células madre pluripotentes. Por eso sabía que llevaba años haciendo esa investigación. Una de las mayores dificultades que enfrentó Lucius fue hallar financiamiento. En los primeros años, ya recién graduado, vendió las propiedades que había heredado de su familia para costear la primera fase de su investigación. En esos duros años vivió en el laboratorio para el que trabajaba.

Durante aquellos tiempos Judas McLife también estaba librando su propia batalla por el poder en el ámbito científico y financiero. Sin embargo, estaba al tanto de las peripecias de Lucius, ya que él mismo se las contaba. Este hacía trabajos a otros investigadores y escribía brillantes artículos para revistas que le permitían sobrevivir a duras penas, pero gracias a su conocimiento y al prestigio que había comenzado a cosechar, ganó dinero suficiente para continuar manteniendo, con esfuerzos, su investigación personal. Así se mantuvo hasta que Judas McLife le consiguió financiamientos, patrocinantes y créditos para que se abocara a su trabajo. Incluso, lo ayudó a comprar el viejo laboratorio que ahora usaba. Judas se sintió traicionado.

Ahora no dejaba de preguntarse si Lucius habría logrado su objetivo. Le parecía una idea extravagante, y hasta cierto punto imposible, pero, tratándose de Lucius... Judas sonrió, no esperaba menos de él, un verdadero mago de la ciencia. Por supuesto, estaba consciente de que no podría presentar ese resultado ante la sociedad científica porque, si Lucius había clonado a un ser, o estaba a punto de hacerlo, como sospechaba, el escándalo en el mundo sería mayúsculo ya que la clonación reproductiva estaba prohibida. Sin embargo, Judas tenía suficientes contactos y conocimientos para sacar provecho del resultado, por ilegal que fuera. ¿Cuántos millones valdría? Judas empezó a hacer cuentas mentales. Claro, tenía que actuar antes de que el Vaticano lo hiciera. ¿Por qué Lucius no le había dicho nada? ¿Acaso no eran amigos? Se preguntó inquieto.

El empresario se reclinó en su cómoda butaca de cuero mientras paseaba la vista por su enorme y elegante oficina. Las paredes revestidas de nogal oscuro hacían juego con los ventanales de cristal que daban hacia el río Ottawa. Un lujoso escritorio y mullidas poltronas de cuero formaban parte del mobiliario que decoraba la imponente estancia encaramada en un rascacielos de la ciudad.

Para él nada había sido fácil. Su niñez transcurrió en un suburbio de la ciudad de Boston. Nunca fue atractivo, pero, con el paso del tiempo, se convirtió en un hombre elegante y distinguido, lo cual anulaba su aspecto vulgar y le otorgaba una apariencia agradable.

Su padre había sido cajero de la Estación Principal de Autobuses, ubicada en el 700 de la avenida Atlántico, y su madre tenía un puesto de revistas en un sitio cercano. Aunque desde niño vio la importancia del trabajo, siempre se quejó de ser pobre y, a los diez años, decidió que sería rico. Su vida transcurrió entre altos y bajos, fue becado por una preparatoria de segunda, luego asistió a la Universidad del Estado donde estudió Biología, posteriormente, se especializó en Biología evolutiva.

Años después se graduó de abogado en Harvard. Su pasión por los procesos biológicos le permitió trabajar en un laboratorio que se dedicaba a la clonación de mascotas. Allí Judas amplió su visión en cuanto a la Biología y los negocios, al mismo tiempo se familiarizó con aspectos legales, sobre todo, con el tema de las patentes, actividad a la cual se dedicó por algunos años. Siempre supo que como científico no amasaría fortuna. Por eso se involucró en la carrera de leyes, adentrándose en el sector de las licencias y así, tras esfuerzos, trabajo, astucia y mucho olfato empresarial, fundó una empresa especializada en patentes de células madre pluripotentes inducidas y de marca de fábrica.

En poco tiempo logró establecer una empresa constituida por un personal no solo de un profesionalismo incuestionable, sino también absolutamente fiel. Su nómina incluía a un importante equipo de asesoría bursátil y consultivos jurídicos. Un equipo de Asesoría Científica, el Directorio de Finanzas, y una sección de Operaciones de Seguridad, aparte de Michelle Stevenson, su secretaria particular, dos asistentes y una nutrida plantilla de personal, además de empleados y obreros. El equipo de Operaciones, al mando de George Bellow, era la tapadera de una unidad de espionaje que se ocupaba de robar información científica e industrial y de hacer trabajos de investigación confidencial.

Judas McLife inició su emporio con Mefisto Genomics Inc., una empresa de biotecnología especializada en el área de la genómica. Esta corporación era una verdadera mina que, en pocos años, le reportó una enorme fortuna, además, fue el soporte principal desde el que se impulsó para fundar la entidad que le daría las satisfacciones que tanto buscaba.

Antes de consolidarse en Mefisto Genomics, Judas se había debatido entre dos aguas, una representaba el ilimitado afluente del dinero que podía ganar como empresario; la otra, el impredecible cauce de la ciencia. Su brillante trabajo de investigación en biología fue tomado en cuenta desde el principio por sus colegas. Algunos de sus antiguos profesores lo invitaron a participar en un proyecto relacionado con el genoma humano, el cual había sido completado años atrás, y que se resumía en una sola idea: cómo producir un ser vivo e inteligente programado por computadora. La idea revoloteó por meses en su cabeza y, aunque sabía que era prácticamente imposible, el proyecto no lo dejaba dormir. Judas comenzó a leer revistas y publicaciones científicas para averiguar si alguien había logrado algún avance, pero no existía ninguna noticia al respecto. Entonces se le ocurrió hablar con Lucius Green, que a fin de cuentas era genetista con un PHD en genética molecular. Si había algo que se pudiera hacer, Judas estaba seguro de que el único que podía lograrlo con éxito era Lucius Green.

Lucius estaba involucrado en la comunidad científica norteamericana, era reconocido y respetado por todos los investigadores de su entorno. Judas, cuyo nombre a menudo fue motivo de desconfianza, era consciente de que no poseía los conocimientos para evaluar la viabilidad de aquel proyecto. Lucius escuchó a su amigo, estuvieron reuniéndose cerca de un mes en tabernas y restaurantes, muchas veces en la oficina de Judas o daban largas caminatas mientras discutían sin parar todas las aristas y posibles matices de aquel tema. Lo desmenuzaron completo, Lucius le explicaba complejas ecuaciones y le hablaba en un lenguaje que, a pesar de que comprendía, a veces se le antojaba arcano. No, él no lograría jamás llevar adelante una investigación parecida a esa que discutían. Al final el criterio de Lucius Green se impuso con un juicio lapidario: era imposible insertar en un ser humano la energía que lo animaba.

Hacía falta conocer ese principio fundamental, saber de qué estaba constituido, qué era, pero aún no tenían ni idea de eso. Ahora, mientras hacía cuentas mentalmente, McLife rememoraba aquellas discusiones.

***

Judas llegó al aeropuerto, el chofer condujo despacio hasta el playón frente a los hangares de los aviones privados. En la pista del estacionamiento el jet Gulfstream G500 de McLife se encontraba listo para abordarlo. La aeronave lucía en ambos lados el emblema de la empresa: un círculo sobre un fondo gris, con el nombre de la compañía, un tridente y una hélice de ADN. Afuera lo esperaba Brandon, el piloto. Judas acostumbraba a crear lazos con sus empleados, conocía el nombre de todos, incluso el del más reciente obrero de su plantilla, se ganaba su confianza y los ayudaba siempre que la ocasión se le presentaba. Más que empleados, tenía una nómina de fieles perros guardianes. Su piloto no era la excepción. El chofer bajó del vehículo y abrió la puerta trasera, Judas salió rápidamente y se encaminó con paso seguro hacia su avión.

Minutos después tomaron su turno en la pista de despegue. El piloto siempre le traía a la memoria a un vecino de sus padres. Con tristeza Judas recordó aquellos días de invierno durante su infancia cuando sus progenitores trabajaban incansablemente, y su vecino llegaba hasta la puerta para ofrecerle comida caliente y un poco de compañía.

Judas espantó esa evocación imprudente y miró a su alrededor mientras se abrochaba el cinturón de seguridad. Los guardaespaldas que lo acompañaban en aquella oportunidad estaban sentados hacia fondo, el personal del avión aún se mantenía en la cabina. A simple vista parecían unos agentes de bolsa de Wall Street, McLife detestaba la vulgaridad de los escoltas con cara de matones. Él había decidido hacerle una visita sorpresa a Lucius, por eso esperó hasta el último momento para anunciarle su llegada. Lo llamó unos minutos antes de subir al avión, notó la sorpresa en el tono de voz de su amigo y detectó un dejo de reproche por no haberle avisado con antelación. Judas ignoró esa queja disfrazada de amabilidad. Solo quería que Lucius le hablara del enigmático proyecto que llevaba a cabo en secreto. Si no lo hacía, entonces lo iba a confrontar, sentía que Lucius lo había burlado.

Capítulo III

El mundo es un escenario en el que se ensaya continuamente.

Thomas Bernhard

Lucius y sus asistentes se prepararon para la visita de Judas. En cuanto recibió la llamada, el doctor Green supo que McLife ya se había enterado del proyecto Salvador, o estaba tras su pista. No obstante, esa certeza no aumentó su preocupación, que ya la tenía. Desde el instante en que el doctor Lucius observó que algo extraño pasaba con Salvador, su decisión de hablar con Judas comenzó a ceder. Por primera vez, a lo largo de la investigación, se sentía confuso y un poco inquieto, por eso esperó un momento más propicio para hacerlo. Lucius era un tipo que asumía sus responsabilidades y encaraba los retos, y cuando se dio cuenta de que no tenía más opción que confiarle a Judas los resultados de un proyecto que aún estaba en observación, no titubeó. La cuestión era cómo abordaría el tema. Intuía que su amigo lo iba a considerar como una traición, sobre todo, porque la idea se la había dado él mismo años atrás. Pensó que lo más sensato sería sincerarse con su benefactor y contarle que había preferido llevarlo hasta el final para luego presentarlo. Sabía que la observación no terminaría nunca. Pasaría de una fase a otra, en realidad, Salvador estaba condenado a ser observado toda su vida.

La doctora Ana y el doctor Tomás no disimulaban su inquietud. Conocían bien a Judas y temían su reacción. No imaginaban cómo se tomaría el avance de la investigación. Ellos vivieron la experiencia de ver cómo cancelaban el anterior proyecto y no querían que, por distintas razones, el laboratorio se quedara de nuevo sin patrocinantes. Los científicos no ignoraban que la empresa de Judas controlaba el campo relacionado con las patentes, de modo que no tenían escapatoria.

De cualquier modo, la unidad estaba preparada para cuando llegara Judas McLife.

***

Sentados ante la mesa de la cocina del departamento de Ana, Lucius y ella tomaban café mientras comentaban la inminente visita de Judas al Complejo. La doctora Ana había llegado al laboratorio gracias a la recomendación de su padre, que estaba unido a Lucius por una gran amistad. El doctor Marcelo Mazzini dirigía la unidad secreta de investigación en el Vaticano. Un reducido grupo conocía la existencia del laboratorio ubicado en la Santa Sede. Ana y Lucius no solo conocían el centro en el que Marcelo Mazzini era jefe de los investigadores, sino que tenían conocimiento acerca de algunos proyectos que se llevaban a cabo en el más absoluto secreto. Ana no hablaba de aquello, ni siquiera a Tomás Johnson, porque consideraba que, en el fondo, seguía siendo un periodista científico.

Ana y Tomás se conocieron en aquel laboratorio cinco años antes, cuando ambos se estaban iniciando como investigadores. Apenas la miró quedó prendado de ella y, aunque la chica siempre lo evadió, él nunca se había dado por vencido. Cuando la investigación del Vaticano fue cancelada, casi todos los científicos se marcharon, pero Ana y Tomás se mantuvieron al lado de Lucius Green. Sabían que la subvención que sustentaba al centro había sido retirada y se acercaban tiempos de penuria, no obstante, se quedaron. En ese entonces no fue ni siquiera por fidelidad, sino porque, en el caso de Ana, no tenía ánimos de emprender una larga búsqueda, a sabiendas de que su padre se la iba a sabotear para que regresara a su lado. Entre ellos la relación nunca fue buena, pero Marcelo era un hombre dominante y pretendía mantenerla trabajando en sus proyectos. Lucius, gracias a la amistad que lo unía a Marcelo, logró obtener un permiso para que ella pudiera quedarse en el laboratorio. En cuanto a Tomás, podía valerse de los contactos de sus padres, pedirles ayuda, pero se quedó por Ana, estaba enamorado de la chica, por ella era capaz de arrastrarse de rodillas por todo Canadá.

En el fondo, a los jóvenes investigadores les emocionaba la oportunidad de trabajar para Lucius, considerado en el ámbito científico como una de las mentes más brillantes. Así pasaron a formar parte del elitesco equipo que formó el genetista para comenzar a trabajar con células madre pluripotentes para crear órganos artificiales. Nunca imaginaron la aventura que les deparaba el destino cuando tomaron esa decisión.

—Menos mal que Judas y tú son amigos —dijo Ana— aunque te confieso que estoy un poco preocupada.

Lucius la miró en silencio y sopesó la idea de contarle la verdad, pero fue un impulso momentáneo, en cualquier momento lo haría, pero no ahora. A él no le preocupaba lo que Judas hubiese averiguado sobre la eficiencia de la organogénesis con sus nuevas técnicas, ese tema podía manejarlo con facilidad, todo estaba en orden. Aquella investigación fue y seguía siendo el corazón de su trabajo. Al doctor Green le intranquilizaba los datos que Judas hubiera obtenido acerca de Salvador.

—No he sido completamente honesto —respondió—. La verdad es que sí estoy nervioso. He ocultado a Salvador durante tres años, Ana. Además de utilizar fondos destinados al cuarto de baño de células madre —dijo con aspecto cansado mientras se pasaba una mano por el desordenado cabello—. Judas no es idiota, debe sospecharlo. Salvador es un hecho portentoso, estoy seguro de que Judas piensa que lo he traicionado. Tal vez imagina que yo quería ganar tiempo para quedarme con todas las ganancias del resultado.

—Pero eso no es así ¿no? —preguntó Ana arqueando las cejas.

—¡Por supuesto que no! —exclamó Lucius—. Pensé hablarle de Salvador cuando tuviera más datos. Tú sabes que aún estamos en una etapa delicada —dijo—. Si Salvador muere o se desintegra de un momento a otro será un fracaso y nadie va a presentar un fracaso. Eso es lo que he temido todo este tiempo y el motivo por el que he preferido esperar.

—De acuerdo —convino Ana—. ¿Tú recuerdas cuando firmaste el contrato que Judas te dio por la financiación que hizo para el proyecto de organogénesis?

—Sí —respondió Lucius—. ¿A qué viene eso? No entiendo.

—Recuerdas que Tomás y yo no estábamos de acuerdo con algunas cláusulas, sobre todo con aquella según la cual el proceso estaba en etapa experimental y la empresa no se hacía responsable si el mismo fallaba. Fue una bajeza y Judas fue quien redactó ese documento —dijo la chica viendo que Lucius todavía no entendía la relación—. Quiero decir que para el señor McLife los negocios no conocen amistad. Al redactar esas cláusulas leoninas de alguna forma te estaba traicionando.

Lucius la miró y luego se echó a reír.

—Vaya, eres rencorosa, pensé que habías olvidado eso —dijo más relajado—. Sí, pudiera ser una traición o un acto de mezquindad absoluta, pero ese es su negocio y debe cuidarlo, además, yo tenía la información completa pero no podía revelarla de ninguna manera. No le dije cuánto tiempo llevaba realmente trabajando ese proyecto. Si Judas lo sabe, también podría acusarme de fraude.

—No veo ningún problema —dijo Ana retomando el tema—. Salvador es el resultado que esperábamos y mucho más. Cuando Judas lo vea olvidará sus recelos y querrá brindar con nosotros por la victoria. Nos haremos ricos y tú podrás renovar el plantel tecnológico del Complejo —bromeó.

El doctor Lucius Green había logrado extraer una secuencia molecular del Sudario de Turín, un proyecto solicitado por el Concejo Científico del Vaticano, y al que tuvo acceso mediante Marcelo Mazzini. Durante dos años el doctor Green desplegó una impresionante investigación junto al equipo proveniente de la Santa Sede y logró aislar la secuencia del ADN. La investigación culminó allí, pero Lucius se empecinó en seguir investigando para rastrear la identidad del individuo que fue amortajado con aquella tela. La junta encargada del proyecto le otorgó un año de gracia para culminar su propuesta, lo hizo de mala gana, y Lucius notó que tenían prisa por cerrar la investigación. Lamentablemente el doctor Green no logró el objetivo durante ese año y el cónclave dio por culminado el proyecto. Sin embargo, el genetista se las había arreglado para evadir la férrea vigilancia de los investigadores del Vaticano, y logró sustraer parte de la muestra, que ocultó junto a cierta información para un futuro trabajo.

Él sabía que la historia religiosa no era del todo cierta, pues se demostró que el Sudario pertenecía a la Edad Media, según las pruebas de Carbono 14 a las que fue sometido en tres oportunidades con la aprobación del Vaticano. El doctor Lucius Green se embarcó en ese proyecto pensando en la clonación de un trovador, o quizá un príncipe medieval, él jamás le dio crédito al supuesto carácter divino, a pesar de que muchos pensaran lo contrario, pero luego se le presentó un problema de orden ético cuando Salvador le dio muestras de poseer talentos extraordinarios, y Lucius empezó a preguntarse si ese ser que había creado era un individuo de la Alta Edad Media o un clon de Jesucristo.

—Si hubieras presenciado lo mismo que yo, pensarías distinto —dijo Lucius—. Hay algo que no te he contado.

Ana lo miró con interés, y Lucius continuó hablando.

—Hace como seis meses me caí en mi laboratorio, estaba solo y tropecé con un cable. Llevaba un frasco con una muestra y me fui de bruces, estoy absolutamente seguro de que me partí la barbilla, además me encajé una gran astilla de vidrio en la mano, vi mi sangre brotando del guante, sé que suena raro, pero así lo vi. Estaba aturdido, de pronto apareció Salvador no sé de dónde, porque estaba en sus habitaciones y desde allí era imposible que hubiese escuchado el golpe. Se agachó y me sujetó mi barbilla con una mano y con la otra me agarró la cabeza, un corrientazo cálido y extraño me recorrió la cara y la columna, el dolor que empezaba a aparecer se me quitó en el acto. Ahí mismo me tomó la mano y con una rapidez sorprendente extrajo el trozo de vidrio y me la apretó. Luego me ayudó a levantar, todo eso ocurrió en un minuto. Me palpé la cara y no tenía rastros de sangre, no me dolía, al igual que la mano, corrí hasta el baño, él me siguió y se quedó viendo cómo yo me observaba el rostro sin una magulladura; no lo podía creer. En seguida me saqué lo que quedaba del guante y me vi la mano intacta, sin sangre, sin un rasguño.

Ana lo escuchaba atónita.

—Te dio alguna explicación, ¿no? —preguntó.

—Sí, cuando le pregunté cómo lo había hecho, me dijo que él no hizo nada, que todo lo hice yo. Le refuté, por supuesto, pero insistió en que yo creía que me había roto la barbilla y la mano, pero que solo fue una ilusión, que la realidad es un espejismo. No hubo forma de que me dijera nada más y yo estaba lo bastante confuso para seguir discutiendo sobre un tema que él, hábilmente, convirtió en filosófico.

Ana carraspeó. Lucius vio una sombra de duda en sus ojos.

—Es increíble, lo sé. No te culpo si no me crees. A veces he dudado de mí mismo, pero no, fue verdad. Además, esas eternas discusiones de Salvador con Mark acerca de teología, religión y doctrinas que yo jamás había escuchado nombrar. ¿Por qué tanto interés en esos temas?

—Tú sabes que la inteligencia de Salvador es privilegiada —dijo Ana mirándolo a los ojos.

Él se dio cuenta de que ella no estaba convencida y decidió dejarlo así. En aquel momento debía concentrarse en su encuentro con Judas, no debería de estar hablando de esas cosas que se había prometido no contar a nadie. Llevaba algún tiempo observando a Salvador y los cambios que ocurrían en su entorno. El propio Mark podía dar fe de ello. Desde que nació oficialmente, nada era igual: los amaneceres cambiaron, el clima, el comportamiento de los animales, algo pasó. Otra cosa que temía era la reacción de Salvador al ver a Judas, el chico poseía una percepción fuera de lo normal y quizá podía sentir algo en él.

Ana admiraba profundamente a Lucius. A veces lo veía como un padre y se olvidaba por completo de su progenitor en el viejo continente, con quien no podía mantener ni siquiera un trato cordial. Le tomó ambas manos al genetista y lo miró a los ojos.

—Lo siento —dijo ella—, no te sientas mal, es difícil de creer, pero sé que dices la verdad. Quizá soy yo quien no desea creer. He visto cómo los animales se aproximaron cuando hicimos la primera prueba de contacto con el ambiente exterior —guardó silencio y desvió la mirada—. Pienso que debe existir una explicación racional para ese fenómeno, tenemos que sentarnos a cotejar datos y a discutirlo… pero ahora vamos al laboratorio, debemos realizar la segunda prueba.

***

Se encaminaron hacia el laboratorio, casi todo el personal ya se había marchado, el recinto lucía más grande. Solo un par de técnicos seguían revisando unas cepas en un extremo de la estancia. No encontraron a Tomás allí y se dirigieron al laboratorio privado de Lucius. Una energía tensa podía sentirse a través del laboratorio, ambos tuvieron la certeza de que surgía del cuarto de Salvador. Lucius se acercó a un panel y activó los micrófonos de la estancia. El día anterior había escuchado una exposición sobre conocimientos generales, que hizo Salvador. El muchacho estuvo hablando durante tres horas sobre matemáticas, física, química, política, filosofía, paz, guerras, amor, globalización, religión, biología. Era sorprendente que una persona pudiese estar tan preparada y ser tan objetiva en todas sus respuestas; rígidas, pero comprensivas cuando era necesario. Era incompatible con la candidez del niño que a veces manifestaba. Los efectos del experimento eran inesperados.

Si no lo hubiera desarrollado no lo creería, se dijo, recordó cómo su vida experimentó un cambio colosal cuando descubrió que los órganos que creaba en su laboratorio tenían una mayor actividad y mejores resultados cuando trabajaban en conjunto con otras partes. Allí se dio cuenta de que podía crear a un ser, y lo hizo con la Molécula de Turín.

Sus pensamientos fueron interrumpidos por una discusión entre Salvador y Tomás. Ana y Lucius se apresuraron a entrar en el apartamento de Salvador.

—No entiendo por qué quieres retenerme aquí —decía Salvador—. Mi padre dijo que hoy saldríamos de excursión para observar cómo se comporta mi estructura molecular.

—Eso lo dijo él, pero si no está, aquí quien manda soy yo —respondió Tomás.

Aunque Salvador tenía la apariencia de un joven de veinticuatro años, su inteligencia no podía ser clasificada. Su coeficiente intelectual era el más alto que Lucius conociera. Era un *recién nacido,* que continuaba creciendo aceleradamente. Era imposible explicar qué había hecho durante los años anteriores de su vida. Ni siquiera un ser superdotado como él podría saberlo, ya que ese era un misterio que solo Lucius y sus ayudantes sabían, al menos eso era lo que pensaba el investigador.

—¡Está listo! —dijo el científico a través de un parlante en la habitación—. Puede salir al patio trasero, allí nos reuniremos en unos minutos.

Ana fue hasta la habitación, no le gustó que Tomás estuviera allí con Salvador y menos lo que había escuchado por los altavoces en la oficina de Lucius. Tomás tenía permiso para entrar y salir de todos los recintos en las instalaciones, pero Ana temía que pudiera sacar alguna información o noticia antes de tiempo que perjudicaría a Lucius. Apenas ella entró en el recinto Tomás se retiró. Ana le hizo una seña a Salvador y este la siguió. Salieron de allí y recorrieron un trecho hasta llegar a una puerta. Ana se detuvo frente al lector biométrico que escaneó su retina. La puerta se abrió y ambos caminaron por un pasillo que los condujo hasta otra puerta. Allí la doctora Mazzini se sometió de nuevo a la inspección y finalmente se abrió la puerta que los dejó salir al patio. Los rayos del sol se dejaron sentir como una caricia cálida.

—Increíble —exclamó Salvador— pero si estamos a nivel del jardín. Tan lejos y tan cerca en esta celda, agregó.

Ana lo observó, sus palabras decían que estaba sorprendido, pero su actitud era serena. Ella prefirió no hacerle preguntas sino prestar atención a su comportamiento. Ana llevaba un bolso con el equipo para grabar el paseo.

—Ahora eres completamente libre —le dijo con una sonrisa.

Salvador dio unos pasos y de inmediato empezó a correr hasta que sus pies tocaron la grama. De repente se detuvo en medio del patio y observó todo a su alrededor, estaba inmóvil, con una expresión en su rostro difícil de describir. Ana sacó la cámara de video y comenzó a grabar. Salvador, acostumbrado a aquella dinámica, no le dio importancia. Lucius y Tomás llegaron con sus respectivos morrales. El doctor Green llevaba en su bolso un traje protector desechable y unas botas por si observaban alguna reacción adversa.

—Vamos a conocer la zona —les dijo el científico.

Se dirigieron hacia el bosque. De inmediato las aves comenzaron a sobrevolar la zona. Las pisadas de los visitantes fueron bienvenidas en la floresta. Los ciervos se acercaban esperando hasta que Salvador los acariciara, mientras algunos lobos y coyotes los seguían con cautela. Las ardillas dejaron sus madrigueras y se acercaron. Ana y Tomas iban grabando todo.

Caminaron durante dos horas y decidieron descansar en una pequeña laguna. Salvador se quedó viendo el reflejo de su cara.

—¿A quién me parezco? —preguntó de pronto, aunque se había visto infinidad de veces en los espejos de sus habitaciones.

—Tú eres único —le respondió Lucius—. Contienes muchos rostros conocidos, otros no; pero todos contribuyeron con tu nacimiento. Tienes lo mejor de cada uno.

—He leído que los humanos heredan los genes de sus padres y con ellos sus características físicas, incluso, en algunos casos hasta su memoria genética. Si eso es así, debo parecerme a alguien.

Lucius pareció perturbado. Él y Ana cruzaron una mirada fugaz, pero ella guardó silencio y se concentró en la cámara que seguía grabando. Tomás llevaba un equipo más grande y se mantenía a unos veinte metros de distancia. El científico nunca imaginó que tendría que contarle esa parte de la historia tan pronto, pensó mientras hacía figuras en el agua.

—Tú eres producto de un proyecto. Lo sabes —dijo Lucius—. Tus genes son perfectos. Eres único —afirmó con una convicción total —. Has recibido la mejor educación y ahora debes conocer el mundo exterior.

—Sí, ellos me necesitan —murmuró Salvador.

—¿Ellos? ¿Quiénes? —pregunto Lucius confuso.

—¿Acaso has estado aislado en el laboratorio? —respondió Salvador—. ¿No has visto la televisión, no has navegado por Internet, no has leído las noticias?

Lucius y Ana estaban atónitos, no podían creer lo que estaban oyendo. Por unos instantes Lucius se sintió extraño frente a Salvador. Lo notó inalcanzable. Era él y la naturaleza.

—Creo que hemos tenido suficiente por hoy —dijo Ana tratando de cambiar el tema—. Estoy agotada y hambrienta. A nadie se le ocurrió meter unos sándwiches en el bolso —acotó tratando de actuar de manera natural.

—Tienes razón —dijo Lucius, agradeciéndole en el fondo sus palabras.

En ese momento Mark llegó jadeando. Todos observaron la estrella de cinco puntas que, con la carrera, había quedado expuesta, ya que siempre la llevaba por debajo de la camisa, ocultándola. Lucius decía que la escondía por pura superstición.

Me tomó dos horas alcanzarlos —dijo—. ¿Creen que esto es lo más recomendable para el bebé? —dijo en tono de broma.

—Tranquilo —respondió Lucius—, él está mejor que nosotros. Pero, no creo que hayas venido hasta aquí para hacerme esa pregunta.

—No, vengo a decirles que ya llegó el doctor Judas McLife.

El joven volteó al escuchar el nombre.

—Llegó tarde, pero lo hizo, dijo el científico—. Debo volver a reunirme con él.

—¿Está todo bien? —preguntó Salvador con un repentino interés.

—Sí, no te preocupes. Problemas que solo yo puedo solucionar.

—Si quiere puedo encargarme de llevar a Salvador —dijo Mark.

Lucius lo pensó por un momento, luego le dijo que sí.

—Está bien, aguántense media hora, para tener tiempo de adelantarnos —dijo Lucius—. Luego vayan directo a la parte de atrás del Complejo, es importante que nadie los vea.

—Así será —dijo Mark haciéndole un saludo y la estrella de cinco puntas destelló con un rayo de sol.

Mark era un tipo curioso. Cuando Lucius llegó al Complejo con el equipo del Vaticano, ya él vivía allí. Creyeron que se trataba de un indigente que dormía en alguna parte de las amplias instalaciones, aunque nunca hallaron una cama, colchones ni nada que delatara un dormitorio improvisado. También les llamó la atención su vestimenta limpia, las manos cuidadas y la educación de aquel hombre que siempre llevaba colgada al cuello una cadena con una estrella de cinco puntas.

Al principio lo trataron con cautela, pero poco a poco Mark se fue ganando la confianza de los científicos. Desempeñaba tareas sencillas como barrer y limpiar el laboratorio por fuera. Después comenzó a realizar tareas de limpieza adentro, lavaba tubos de ensayo y limpiaba los mesones. Su meticulosidad y cuidado hizo que lo dejaran encargado de las áreas internas del laboratorio.

Para Lucius siempre fue de gran ayuda, además, le caía bien. Nunca hablaba de familia ni de su vida, por lo cual sospecharon que era un solitario y respetaron su privacidad. En un laboratorio cada quien anda en lo suyo y la vida íntima de Mark nunca les interesó. Pasó el tiempo, se fue el equipo del Vaticano, muchas cosas cambiaron, pero Mark siguió allí siempre fiel al doctor Lucius Green, al que llamaba jefe. Además, demostró ser un hombre absolutamente discreto, cualidad que Lucius valoró brindándole su amistad.

El científico le ofreció un pequeño departamento en el edificio donde ellos vivían, pero Mark lo rehusó, dijo que prefería dormir donde siempre lo había hecho, en la parte de atrás del laboratorio, en el anexo de un viejo depósito en el que se almacenaba un reactor fuera de funcionamiento desde hacía muchos años. No hubo forma de hacerlo cambiar de idea y Lucius no iba a discutirle sus preferencias.

Mark era la única persona, fuera del equipo científico, que interactuaba con Salvador, con quien se la llevaba tan bien que, incluso, le decía hijo. Ana y Tomás consideraban que esa actitud paternal hacia Salvador no era conveniente, ya que el joven mostraba una conexión especial con el empleado.

Ellos pasaban horas hablando de religiones y de las doctrinas que han dominado tanto al mundo occidental como al oriental; y Salvador mostraba interés por los razonamientos filosóficos de su amigo, que analizaba y luego discutía. A Lucius le parecían lecciones filosóficas, algunas veces disfrutaba con el contrapunteo de argumentos entre Mark y Salvador, pero nunca participaba en esas conversaciones. Él era agnóstico y no sentía el más mínimo interés en esas abstracciones que tanto le gustaban a su pupilo.

Capítulo IV

El mejor científico está abierto a la experiencia, y esta empieza con un romance, es decir, la idea de que todo es posible.

Ray Bradbury

M uchos archivos secretos del Vaticano, con el pasar de los años, fueron desclasificados y su contenido ya era del dominio público. La gente quería saber qué había pasado con la Iglesia en el pasado, con aspectos como las aberraciones de la Inquisición y la condena de científicos como Galileo Galilei. Una ingente cantidad de noticias llenaban las páginas de los diarios cada vez que se hablaba de información confidencial.

La literatura no se hizo esperar y cientos de autores comenzaron a escribir acerca del Vaticano y sus secretos. Infinidad de novelas fueron publicadas desde la liberación de los archivos. Sin embargo, a niveles internos, un equipo de científicos había estado trabajando en un proyecto más importante, llamado Simeón. Ciertos rumores llegaron hasta algunos diarios y los cazadores de noticias emprendieron una búsqueda frenética de información, pero nadie tenía idea del verdadero contenido de dicho proyecto, ni quién estaba a cargo.

La versión oficial se centraba en una recopilación sobre la historia de la Iglesia. Pero la realidad era otra. La investigación había comenzado inicialmente con pergaminos, luego se compiló en libros mediante las declaraciones de testigos. Después se realizaron pruebas científicas, filmaciones, fotos de satélite, y más reciente, vía drones. El material conocido quedó plasmado en la piedra y, de allí hizo una veloz y vigorosa travesía hasta llegar a la computadora. De los glifos a figuras holográficas, de extractos de la Biblia, la Torá y otros escritos antiguos a complejos programas diseñados para definir la personalidad de Jesús de Nazaret, además de todos los estudios completos sobre los milagros documentados y las apariciones en todas partes del mundo con su correspondiente evidencia. Miles de personas dieron y siguen dando la vida para mantener oculta esa información. Marcelo Mazzini era una de ellas.

Cuando descendía las escaleras tenía la sensación de estar viajando en el tiempo. Pocas veces utilizaba el ascensor privado que lo llevaba directo a su laboratorio. Para ingresar en su espacio investigativo, se sometía a los mecanismos de visualización que se activaban en la puerta principal. Un haz de luz leyó la retina de Marcelo, luego mostró su rostro en una de las ventanas del computador: *666, personal autorizado.*

Marcelo cruzó el laboratorio, que a esa hora estaba solo, y entró velozmente en su oficina, tomó asiento frente a su computadora y comenzó a escribir. No había dormido nada en toda la noche. Su ritmo cardíaco aún se mantenía un poco acelerado. Solo él sabía lo que había ocurrido y no quería imaginar las implicaciones que aquella noticia tendría en la esfera eclesiástica. Sintió un malestar estomacal. La febril actividad de su cerebro lo mantenía aturdido. Aún no sabía cómo procesar toda la información que Lucius le había confiado la noche anterior.

Los científicos mantenían una buena relación y se comunicaban con regularidad, sobre todo, cuando Marcelo quería saber de su hija, la doctora Ana. Aquella noche Marcelo notó aprensión en la voz de su amigo, y cuando este le dijo que iba a contarle algo sumamente delicado sobre su trabajo de investigación, Marcelo se mostró receptivo y lo estimuló para que hablara con confianza. Ni en sus pesadillas hubiese imaginado lo que escucharía.

Cuando Lucius le contó que su proyecto privado, al cual bautizó como la Molécula de Turín, había sido un éxito, Marcelo Mazzini experimentó una taquicardia.

—¿Quieres decir que sabes de quién es la secuencia molecular? —preguntó emocionado.

—No exactamente —respondió Lucius con una voz extraña.

—¿Qué significa eso, Lucius? —preguntó Marcelo con nerviosismo.

El doctor Green respiró profundo y le dijo que, en primer lugar, no le había contado nada a nadie acerca del trabajo que hacían en su laboratorio privado Marcelo sintió que se encogía sobre la silla, pero no interrumpió a Lucius, el tono solemne de este le indicaba que aquella confesión era excepcional. Lucius juraba que nunca imaginó que los resultados hicieran tambalear su bien estructurado mundo científico.

—¡Al grano, Lucius, por el amor de Dios! —lo urgió Marcelo.

—Bien, no seguí investigando sobre la identidad del amortajado porque lo cloné —dijo Lucius, y un silencio repentino los envolvió.

Una intensa palidez bañó el rostro de Mazzini, la frente se le perló de sudor, y sintió un vacío en el estómago.

—¿Marcelo? —dijo Lucius, temiendo que la comunicación se hubiese roto.

—¡No me lo puedo creer!, ¿cómo se te ocurrió semejante, semejante, locura?

—¿Locura? No entiendo —dijo Lucius.

—¡Clonaste a nuestro Señor! ¿Te parece que eso no es una aberración?

—Vamos, Marcelo, sabemos que ese lienzo pertenece a la Edad Media —dijo Lucius con irritación, frente al arrebato de su colega.

Marcelo Mazzini se dio cuenta de que se había excedido y, ahora más que nunca, debía guardar la compostura.

—De acuerdo, ese es tu punto de vista, pero mi enfoque es otro, tú lo sabes —dijo, tratando de sonar natural. Tenía que saber todo acerca de esa clonación, no podía espantar a Lucius con otro arranque de rabia, o de lo que fuera. Le pidió que le contara la historia completa, desde el principio, sin omitir detalles.

La conversación se prolongó durante unas dos horas, al principio, cuando Lucius percibió el tono alterado de Marcelo, pensó en no contarle el incidente de la caída en el laboratorio y los otros eventos extraños que había notado alrededor de Salvador, pero luego, cuando advirtió que su amigo se encontraba más sosegado, decidió hablarle de ese hecho que lo atormentaba y que en fondo era el verdadero motivo que lo animó a confesarle todo.

Mientras Marcelo escuchaba el relato de Lucius, su agitada mente buscaba explicaciones posibles y satisfactorias para apartar a su amigo de ideas que pudiera conectar aquello con un milagro. Intuyó que, en el fondo, eso era lo que Lucius Green deseaba escuchar.

—Bien —dijo cuando Lucius guardó silencio —es posible que, siendo el resultado de una clonación en la que ha intervenido una serie de procesos bioquímicos, él pudiera originar algún tipo de radiación con propiedades cicatrizantes, curativas, claro, estoy especulando, pero al investigar hallarás las razones lógicas, que seguro existen, para explicar semejante fenómeno —dijo imprimiendo a su voz un tono de seguridad que estaba lejos de tener.

Lucius lo escuchó y, aunque una parte de su mente se revelaba ante aquella explicación, simuló que la aceptaba de buen grado.

—Ahora lo primero —continuó Marcelo—, es fundamental, prioritario, escúchame bien, cardinal, que Judas no sepa nada de lo que me acabas de contar. Ya sé que es el que más te ha ayudado con los financiamientos y las patentes, pero no puede conocer la verdad. Su mente trabaja únicamente con números y cifras acopladas al mercado financiero, verá en Salvador un producto comercializable, tú lo sabes muy bien, y lo va a convertir en una gitanilla de feria para sacar provecho.

—Recuerda que ya Judas conoce la existencia de Salvador —dijo Lucius interrumpiendo a Marcelo—, de eso no tengo la menor duda, lo que ignoro es hasta dónde está informado.

—Sí, ya me lo dijiste —respondió Marcelo—, pero dudo que conozca el verdadero fondo del asunto, y si lo conoce, entonces no es por un espía que haya infiltrado en tu laboratorio, sino porque uno de tus asistentes te vendió.

—Eso es imposible, confío plenamente en Ana y Tomás —dijo Lucius con convicción.

—Entonces Judas desconoce la verdad, y tú le inventarás un origen diferente a Salvador. Bajo ninguna circunstancia puede conocer su perfil biogenético, ahora mismo debes crear una secuencia falsa para sustituir la auténtica en los cuadernos bitácora. Mañana a primera hora iniciaré los trámites para mi viaje a Canadá, debemos vernos lo más pronto posible.

Lucius se quedó perplejo, la visita de su amigo no le desagradaba, pero le pareció extraño, por supuesto, como científico era natural que sintiera curiosidad por aquel evento insólito, sin embargo, Lucius percibió algo más, un interés que lo alarmó.

Aún después de colgar el teléfono y reflexionar acerca de la larga y extraña conversación que tuvo con Marcelo, no entendía su aprensión. Por supuesto, comprendía que el Vaticano tenía derecho a saberlo antes que cualquier otro dado que, a fin de cuentas, su proyecto sobre la Molécula de Turín surgió a partir de la investigación que realizó en conjunto con aquel equipo cinco años antes, para aislar la secuencia molecular presente en el lienzo.

El equipo del Vaticano conocía los resultados que arrojaron las pruebas de Carbono 14 a las que fue sometida la tela. Lucius no iba a provocar una discusión teológica al respecto, el proyecto en sí mismo era una oportunidad para investigar la reliquia más importante del cristianismo, además de aislar la secuencia molecular. Él deseaba continuar, así lo expuso, y a pesar de la reticencia de algunos científicos del equipo, terminaron otorgándole un año como una deferencia por su importante labor. Luego, ante los vanos intentos por conseguir la identificación, el Concejo Científico canceló ese tramo del proyecto.

Lucius Green ignoraba que, cuando le comunicó a Marcelo que continuaría trabajando por su cuenta en el proyecto, este no lo estimuló, aunque tampoco pensó en disuadirlo porque creyó que no tendría éxito. Si había fracasado a pesar del apoyo de un equipo altamente calificado, con herramientas, conocimiento y dinero, trabajando solo no llegaría a ninguna parte. Interpretó ese afán como testarudez, una forma de negar el fracaso rotundo que terminó cancelando el proyecto Simeón y retirando a todo el personal de aquel laboratorio que luego, gracias a Judas McLife, pasó a ser propiedad de Lucius. El doctor Mazzini jamás sospechó que el nuevo proyecto del doctor Green tomaría otra deriva, como ocurrió efectivamente un año más tarde cuando el genetista, al observar el comportamiento de los órganos que cultivaba en su laboratorio, tuvo una idea que aplicó a su famosa Molécula de Turín. Él estaba seguro de haber clonado a un trovador, a un príncipe medieval o alguien lo suficientemente importante para embalsamar y cubrirlo con una pieza de tela tan costosa.

Lucius no podía imaginar a Marcelo Mazzini como uno de los pocos hombres vivos que conocía el génesis de aquella secuencia molecular, que no provenía del Sudario de Turín.

***

Marcelo estaba devanándose los sesos buscando una forma para comunicar al Concejo Científico la existencia de Salvador, tanto él como Lucius sabían que tarde o temprano, aquella noticia movería los cimientos de la ciencia. Lucius estuvo de acuerdo en que se le comunicara al Concejo los avances en su investigación, total, en cualquier momento su proyecto sería conocido y se formaría un revuelo en los círculos científicos y noticiosos.

Mientras pensaba en la conversación con Lucius se quedó viendo la foto de Ana cuando tenía quince años. Hacía ya mucho tiempo que no se veían. La última vez que estuvieron juntos fue cuando la acompañó al aeropuerto para su viaje a Canadá, donde el doctor Green la esperaría, de eso hacían ya cinco años. Sabía que detrás de la foto tenía el número del teléfono de ella. Lucius se lo había dado meses atrás para que limaran asperezas, pero Marcelo se quedó paralizado por el temor de volver a escuchar su voz después de cinco años sin verse, y en los que únicamente recibió dos cartas. Ella no le guardaba rencor por su última discusión, cuando su padre le pidió que se quedara a trabajar con él en el proyecto. No podía negar que la despedida fue un desastre. No todos los días un padre le dice a su hija que se arrepentirá y que no quiere volver a verla hasta que recapacite.

Marcelo se dio cuenta muy tarde del error que cometió, era poco probable que después de tanto tiempo recibiese una llamada de Ana.

Sacudió la cabeza para espantar esos pensamientos que en nada ayudaban a tranquilizarlo en aquel momento. Durante toda la noche estuvo reflexionando sobre las implicaciones que podría tener aquel proyecto de Lucius. Aún no sabía cómo abordar el tema ante el Concejo Científico. Decidió conversar con una de las pocas personas que conocían el proyecto Simeón: el secretario de Estado del Vaticano. Aunque las labores del secretario en realidad no tenían naturaleza científica, el peso de su cargo había hecho que participase del secreto que implicaba el proyecto, además, eran amigos.

***

El asistente trató de detener a Marcelo mientras pasaba apresurado y abría la puerta del despacho sin que le hubiesen autorizado, y la cerró en la cara del joven sacerdote, quien segundos después entró para ver si todo estaba bien. El secretario le hizo señas de que los dejara solos.

—Calma Marcelo —le dijo al verlo sudoroso—. ¿Qué puede ser tan grave para que entres a mi despacho en ese estado?

—Simeón… —balbuceó.

—No entiendo —le dijo con indiferencia.

—Es un desastre, todos los esfuerzos han sido en vano.

—¿De qué hablas? —preguntó el secretario intrigado—. Seguro que estás exagerando.

—El proyecto que tú y yo conocemos está operando a la perfección —dijo Marcelo. El problema es otro.

—Es mejor que te sientes y tomes aire. Sírvete un poco de vino y me sirves una copa, por favor —dijo el secretario señalando un anaquel donde había una botella de Negroamaro de Salento. Marcelo sirvió las dos copas de vino y se sentó frente a él.

El científico probó un sorbo de vino lentamente. Luego comenzó a relatar la historia de Lucius y Salvador. El secretario lo miraba estupefacto, no daba crédito a lo que estaba escuchando, si no hubiese conocido tan bien a Marcelo Mazzini, hubiera dicho que estaba delirando. No lo interrumpió, durante unos minutos se quedó sin palabras.

—Dime que me estás tomando el pelo —dijo el secretario.

—Nunca jugaría con algo semejante —dijo Marcelo, y se tomó el vino de un solo trago.

—¿Sabes las implicaciones que esto tendrá en la comunidad religiosa mundial? ¿Cómo se lo diremos al santo padre? —gritó el secretario, y su rostro enrojeció, estaba temblando de rabia—. Y para colmo le ponen Salvador, qué mal gusto. Escucha —continuó con un rugido que salpicó de saliva a Marcelo—, tenemos que detener esta locura ahora mismo. En cierto modo, Salvador nos pertenece, y debe estar en la Santa Sede, en un lugar más seguro que ese laboratorio en una montaña de Canadá —dijo el secretario mientras se incorporaba y comenzaba a caminar alrededor del escritorio. Marcelo se estaba mareando.

El doctor Mazzini se quedó viendo al secretario de forma inquisitiva.

—No hay otra alternativa, Marcelo, tú lo sabes.

Marcelo se estremeció.

—Lucius no nos entregará a Salvador —dijo Marcelo—, es su trofeo por los años de investigación, un logro que obtuvo aun cuando no lo apoyamos.

Marcelo lo miró directamente a los ojos.

—Bien, si no entiende por las buenas entonces lo haremos por las malas, pero debemos salvar esta situación antes de que llegue a los medios, es impensable las repercusiones que tendría si un solo periodista se entera de este desastre. Tú te encargarás de hablar con el doctor Green para hacerle ver que Salvador aquí estará protegido, yo me ocuparé de organizar una reunión con el Concejo Científico, no podemos ocultarle esto durante más tiempo.

Marcelo se puso de pie, daba por terminada la reunión con el secretario, se sentía mejor, ya el peso no reposaba solo sobre sus hombros, aunque le preocupaba lo que pudiese pasar con Lucius. El secretario era un hombre de acción y Marcelo temía que sus medidas fueran poco ortodoxas.

—Recuerda que Lucius es mi amigo, ha sido un excelente mentor para Ana, no quiero que les ocurra nada malo.

—Quédate tranquilo, Marcelo, y deja todo en mis manos. Esto ya se ha convertido en un problema de Estado.

Capítulo V

En presencia de la Oscuridad total, la mente cree que es
absolutamente necesario crear luz.

Isaac Asimov

Marcelo se sintió más tranquilo. Ahora que había compartido esa noticia con el secretario y este había asumido el control sobre la situación, él podía pensar en los próximos pasos. Necesitaba despejarse, aunque debía preparar su viaje a Canadá, bajó las escaleras del edificio principal y fue a buscar su bicicleta, comenzó a pedalear enérgicamente. Mientras recorría una calle lateral pensaba en el proyecto en sí mismo. Aún no podía creer que una copia de Jesús de Nazaret hubiese sido creada en un laboratorio de Canadá. Lamentó su arrebato de cólera contra Lucius, que a fin de cuentas no tenía culpa; él era un científico apasionado con la investigación. Además, cuando le anunció su intención de continuar trabajando en una línea de aquel proyecto, él no lo disuadió. En ese momento debió ser honesto con su amigo, quizá al saber la verdad el doctor Green no se hubiese atrevido a seguir adelante, ¿o sí? ¿Quién podía saberlo? Marcelo continuó pedaleando con fuerza hasta salir hacia una zona alejada de la Santa Sede. Su cabeza era un hervidero de ideas confusas.

A medida que pedaleaba recordó cuando conoció a Lucius en el primer curso que tomaron juntos en la universidad. Desde ese día se convirtieron en amigos inseparables, a pesar de la distancia y del tiempo sin verse. Por suerte, los medios tecnológicos les permitían comunicarse en tiempo real. Para efectos oficiales, Lucius solo sabía que Marcelo dirigía un proyecto subsidiado por el Vaticano, que buscaba alcanzar un perfil más auténtico de Jesucristo. Un grupo de expertos había estado revisando y analizando su vida y obra, y otro equipo alrededor del mundo buscaba evidencias físicas. La Iglesia estaba consciente de la crisis de fe y tomó la decisión de usar dicha investigación para lanzar una campaña re-evangelizadora, basada no tanto en narraciones bíblicas, como en hechos reales comprobables científicamente. Esa era la versión oficial para sacar adelante la investigación, pero Lucius sabía que detrás de todo ello existían otros intereses.

Parecía que tan solo ayer había conocido a Lucius, aquel entusiasta científico que presentó su proyecto ante una feria de ciencia en la Universidad de los Soleares en Roma. Aceleró el pedaleo y los recuerdos se fueron hilando. Comenzó a evocar aquellos momentos que disfrutaron juntos. Recordó cuando casi le roba la novia de su infancia; cuando se echó la culpa por Lucius en el robo del auto del viejo Green y terminaron estrellándolo en un lago congelado. Eran muchos momentos inolvidables.

La capacidad investigativa y creativa de Lucius había sido brillante desde que entrara en la universidad a estudiar Ciencias Físicas. Cada materia, hasta la más complicada, parecía algo fácil para él. Pocos meses después era el alumno más aventajado de su promoción.

Gastaba más resmas que un escritor. Mientras los dormitorios de sus compañeros estaban forrados de afiches de mujeres, motos, automóviles y grupos musicales, el cuarto de Lucius estaba tapizado de bosquejos de células, moléculas y cadenas de ADN. Primero pegaba dibujos y una vez que había cubierto las paredes, comenzaba a completar y agregar color a los mismos, como un libro de historietas. Su puerta permanecía abierta, ya que salía y entraba constantemente, revisando libros en la biblioteca a unos pocos minutos del dormitorio. Su pasillo se convirtió en un icono de la universidad.

Todos entraban para firmar su nombre debajo de los dibujos y esquemas y le dejaban mensajes: ¡vamos, sigue adelante! ¡Desintegra a los profesores! ¡Elimina a los corruptos! Lo animaban, pero sin tomarlo en serio. Así pasaron los años universitarios de Lucius y Marcelo que, después de la graduación, llenaron juntos planillas de búsqueda de empleo.

Una vez Lucius recibió un regalo magnífico que le cambió la vida, se trataba de un software que le obsequiara Judas McLife. En la tarjeta este había garrapateado: *espero que esto te sirva para tus diseños, tu amigo y hermano, Judas McLife. P.D.: hasta me has obsesionado con la creación de células. Yo estoy haciendo investigaciones por mi parte, espero nos veamos y compartamos notas cuando te gradúes.*

Los recuerdos eran tan nítidos que parecía que hubiese hablado con él esa misma mañana. Fueron muchos años viviendo juntos. El torrente de recuerdos lo distrajeron y su mente comenzó a tranquilizarse. Confiaba en que el secretario no le haría daño, eso no se lo perdonaría nunca. Moría de ganas por conocer a Salvador, pero también sentía un poco de aprehensión. No sabía cómo iba a reaccionar cuando lo tuviera en frente. Había sopesado la idea de contarle a Lucius la verdad acerca del Sudario. Pero aún no se decidía, ¿cómo decirle que aquella tela era en realidad la de Edesa? Marcelo sabía que la secuencia molecular que Lucius extrajo fue de la auténtica mortaja del Redentor. Aquella pieza estuvo durante siglos oculta por la Orden de los Templarios, que falsificó la tela y luego la ofreció como el Sudario de Turín. Cuando Lucius le contó lo ocurrido en el laboratorio después de su caída, Marcelo tuvo la certeza de que no se había equivocado, lo cual hacía más grave aún la situación. El horizonte empezó a oscurecerse y Marcelo se estremeció.

Capítulo VI

El hombre está condenado a ser libre, ya que una vez en el mundo, es responsable de todos sus actos.

Jean Paul Sartre

Judas y Lucius se saludaron con un fuerte abrazo como solían hacer desde sus tiempos universitarios. Cuando emprendieron el regreso al laboratorio, Lucius dejó a Salvador bajo el cuidado de Mark. Ellos entrarían por la parte trasera del edificio para que Judas no viera al joven. Lucius deseaba preparar el terreno antes de que McLife conociera a su pupilo. Durante un par de horas recorrieron el laboratorio, que Lucius le mostró orgulloso, y le presentó al personal mientras le hablaba de los avances en su proyecto. La conversación fue distendida, los hombres intercambiaron opiniones en cuanto al futuro de los trasplantes y la medicina regenerativa. El ambiente vibraba con aquella noticia. Cuando el personal comenzó a marcharse, Lucius invitó a Judas a su departamento para almorzar juntos.

Ana había pedido cuatro almuerzos al restaurant más cercano, para agasajar al huésped. Ella y Tomás comerían en su departamento; preferían no intervenir en la conversación de los dos hombres.

Judas hizo preguntas referentes al rendimiento de la tecnología que Mefisto Genomics había licenciado al laboratorio. Al principio ambos tuvieron algunas dudas sobre la ventaja de utilizar ciertos instrumentos biotecnológicos que la competencia trató de mejorar. Judas contaba con buenos clientes, no obstante, ninguno le había enviado aún un reporte sobre el instrumental, por tanto, no tenía resultados definitivos.

El recorrido por el laboratorio había sido sumamente interesante. Ver al equipo de Lucius concentrado en sus tareas, no dejaba dudas de la eficiencia que imperaba en el recinto. Sin embargo, cuando el doctor Green lo llevó hacia el fondo y le dio un traje de protección desechable, Judas creyó que se acercaba lo más interesante de la visita. Luego su anfitrión, después de vestirse con un traje de protección idéntico, se acercó a una puerta y marcó un código en el teclado que se hallaba empotrado en la pared. La puerta se abrió y Lucius le hizo una seña invitándolo a entrar. A esa hora el recinto se hallaba solo. Judas supo que se encontraba en el baño de órganos. Mientras el científico le iba explicando la función, los avances y otros detalles, McLife empezó a hacer cuentas mentalmente. No pudo evitar sonreír al calcular la tajada que le tocaría a su empresa cuando los órganos comenzaran a comercializarse. Él se encargaría de todo, sabía que su amigo no se opondría porque era un inútil para los negocios.

***

—Estoy bastante sorprendido con los avances de tu investigación —le dijo Judas a Lucius mientras saboreaba una crema típica del país—. Siempre lo dije, ¿recuerdas mis cartas? No hubieras podido lograr nada sin nuestra tecnología de aceleración.

—Es cierto. Tú y tu empresa nos han ayudado mucho —respondió Lucius mientras untaba mantequilla a un trozo de pan. Había captado la indirecta en la frase de Judas—. No te imaginas cuánto —respondió, y se dijo que ese era el momento oportuno para hablarle sobre el progreso de su proyecto.

—¿Por qué no me dijiste nada antes? El avance de los órganos es prodigioso. Ya tenemos que comenzar a realizar trámites para la presentación, mañana mismo me ocuparé de eso —dijo Judas.

—No se me ocurrió llamarte —dijo Lucius con absoluta sinceridad—. Hace un tiempo, no recuerdo si meses o un año, te mandamos un informe detallado. Además, tú sabes que esta es tu casa, puedes venir cuando quieras, mandar emisarios, llamar o solicitar informes, no hay problema con nada de eso. Aquí eres bienvenido siempre —dijo Lucius.

Judas se sintió pillado en falta cuando escuchó la palabra emisarios. Se preguntó si su amigo habría descubierto al espía. Se dijo que no, Lucius era un tipo honesto y directo, un poco egótico, pero si lo supiera ya lo habría encarado. Sonrió e inclinó la cabeza en señal de asentimiento, no sabía qué decir y se llevó la copa a los labios.

—Hay un avance importante del que no te he hablado —le dijo Lucius, sin abandonar el tono de voz tranquilo—, estaba esperando culminar la fase final de las observaciones para presentarte un informe completo, pero ya que estás aquí, creo que me puedo adelantar.

Judas se recostó en la silla y se le quedó mirando.

—¿En serio? ¿De qué se trata? —preguntó con genuino interés.

Lucius comenzó por decirle que él era el primero en saberlo y le pidió absoluta discreción. Por supuesto, este asintió y siguió mirándolo con expresión inquisitiva. Una cosa era leer el reporte de un espía y otra escuchar el relato por boca del protagonista. El doctor Green no perdió tiempo y en unos quince minutos le hizo un resumen del trabajo investigativo con la Molécula de Turín y el sorprendente resultado que se hallaba en una cámara adosada al laboratorio particular de Lucius. Por supuesto, tergiversó los datos, tal como le indicara Marcelo. De igual forma, siguió el consejo al pie de la letra y trabajó frenéticamente para forjar los cuadernos bitácora. Los verdaderos estaban a buen resguardo, nadie sabía dónde los había ocultado.

Judas lo miraba incrédulo, la narración de Lucius era verdaderamente espectacular. En el informe, el espía afirmaba que el científico realizaba una investigación secreta sobre la Molécula de Turín, lo que el infiltrado no sabía era que el doctor Lucius Green ya había superado esa fase con un logro histórico, y tal vez inigualable.

Lucius hablaba despacio, pero con naturalidad, había ordenado sus ideas para no revelar más de lo que debía. Judas permanecía estupefacto. Estaba impactado, hizo aquella visita sorpresa para corroborar por sí mismo el adelanto de la investigación del proyecto sobre la misteriosa molécula, pero ni en sueños sospechó que Lucius Green había dado un salto cuántico que lo impulsó hasta el más extraordinario de los resultados posibles.

Aunque había una cláusula específica en el contrato de financiamiento, que estipulaba un porcentaje de regalías por cualquier proceso derivado o desarrollado de la aplicación total o parcial con la tecnología licenciada por Mefisto Genomics, Judas no confiaba en los asistentes de su amigo, menos en la hija del científico encargado de ciertos proyectos del Vaticano. Sabía que Lucius era incapaz de violar las cláusulas del contrato, pero la fortuna que representaba aquel proyecto era una gran tentación para cualquiera.

—A ver, no sé si entendí bien —dijo Judas acomodándose en su silla—. Quieres decir que cuando observaste el comportamiento de retroalimentación que tenían distintos órganos en un mismo baño, tuviste la idea de crear un ser y lo hiciste, ¿es eso correcto?

—Exactamente —dijo Lucius que, al ver la sorpresa e incredulidad reflejadas en el rostro de Judas, comenzó a sospechar que este no conocía la existencia de Salvador.

Judas McLife se incorporó de la silla y comenzó a caminar lentamente hacia una ventana. Tenía el ceño fruncido, se veía ensimismado. Lucius también se levantó y se quedó de pie al lado de la mesa, esperando que su amigo reaccionara.

—Siempre supe que eras un genio, Lucius Green —dijo Judas dándose la vuelta y mirando a su amigo que permanecía estático, maldiciéndose por haber hablado demás—. Solo tú podías lograr semejante portento, y lo has hecho. De ahora en adelante te llamaré Maestro, o mejor aún, Creador. Te juro que jamás esperé algo así.

—¿Un genio? Qué va —dijo Lucius tratando de restarle importancia a esas palabras—. Creo que has olvidado los años que llevo investigando, el tiempo que le he dedicado al trabajo durante día y noche. No imaginas lo que sentía cuando observaba a los embriones muertos en la placa de Petri, cuando descubría anormalidad en el útero artificial y tenía que abortar el proceso. A veces, sencillamente los embriones se secaban y el trabajo se iba al traste... Fue un camino arduo.

Judas McLife observó a su amigo y, en dos zancadas se plantó frente a él y lo abrazó. Lucius tuvo la impresión de que su amigo estaba a punto de llorar, o simplemente fingía emoción.

—Perdóname, la noticia me produjo una conmoción —dijo—, pero háblame de él. ¿Qué edad biológica tiene? ¿Cómo se llama?

—Tranquilízate o te vas a desmayar —dijo Lucius en broma para tratar de sacudir aquella atmosfera solemne que lo podía perturbar aún más. Lo último que deseaba era terminar abrazando a Judas—. Ahora mismo nos encontramos en un período de pruebas, aún no termina la fase de observación. En realidad, no estoy seguro de que esa fase termine en algún momento. Salvador tiene una edad biológica de veinticinco años, es un joven sensible y excepcionalmente inteligente.

El cerebro de Judas trabajaba febrilmente procesando informaciones. Las aplicaciones e implicaciones del descubrimiento eran impredecibles. Su empresa, al haber suministrado la biotecnología, tenía una cuota de méritos, por tanto, la exclusividad le pertenecía. Sin poder contenerse le pidió a Lucius que lo llevara hasta las habitaciones de Salvador, moría de ganas por conocerlo. Lucius le comentó que todavía era prematuro para hacer planes, además, no podían olvidar que era impensable presentarlo oficialmente ante el mundo, ya que no había sido un experimento controlado, y lo más delicado, violaba un acuerdo de la legislación biomédica sobre la prohibición de clonación humana.

—Por mucho que nos emocionemos no podemos olvidar que, en varios aspectos, estamos criando a un recién nacido —dijo Lucius mientras se dirigían hacia su laboratorio privado

—y créeme, nadie mejor que yo sabe lo que es estar emocionado, pero ahora es cuando más tenemos que cuidar cada etapa de su crecimiento. No sabemos cómo evolucionará su organismo. Puede que muera dentro de poco o que cambie la historia del mundo.

Judas le lanzó una mirada llena de pánico, pero no dijo nada. Al llegar al espacio privado de investigación, Lucius le indicó que debían ponerse los trajes de protección. Luego se encaminó hacia el fondo del laboratorio y se detuvo frente a una puerta camuflada en la pared, al lado se hallaba empotrado un teclado; marcó un código alfanumérico y pasaron a una especie de cámara secreta.

Hallaron a Salvador en su dormitorio, estaba recostado leyendo en una tableta conectada al wifi, de inmediato se sentó en el borde de la cama y dejó el iPad a un lado. Vio a sus visitantes con naturalidad y se puso de pie. Les sonrió y esperó que Lucius hiciera las presentaciones. El científico había temido que se sorprendiera al verlo acompañado por un extraño, además, vestido con el traje de protección.

Siguiendo los protocolos sociales, Lucius los presentó.

—Judas, te presento a Salvador —dijo, y de inmediato se dirigió a su pupilo—. Salvador, el doctor McLife es mi amigo, ya te he hablado de él; es como mi hermano y tuvo mucho que ver con tu nacimiento.

—Entonces puedo decir que es mi tío —dijo Salvador, evidentemente emocionado.

—Claro que sí —le respondió Judas estrechando la mano que el joven le tendió—. Estoy encantado de conocerte, Salvador, de verdad es un gran placer estar aquí contigo.

—Me hace feliz saber que te sientes a gusto a mi lado —dijo Salvador sin soltar la mano de Judas—, si te gusta mi compañía es porque perteneces a mi estirpe.

Judas sonrió un poco confuso, pues no comprendió las palabras del joven, le lanzó una mirada inquisidora a Lucius buscando una explicación, pero este se encogió de hombros.

—Quiero decir, que eres de mi familia —se apresuró a aclarar Salvador.

—Bien, entiendo —dijo Judas—. Estoy al tanto de tu nacimiento, que es extraordinario, y por lo visto, tú estás consciente de este... digamos, proceso científico.

—Sí, lo sé. Mi padre, la doctora Ana y el doctor Tomás, se han encargado de enseñarme cómo funciona la realidad, quiero decir, este mundo —dijo Salvador con sencillez—, y Mark también me enseña otros temas y me protege —afirmó el joven.

Judas y Lucius se vieron sin entenderlo.

—Excelente, excelente —dijo Judas—. Este es un tema que me interesa y, si no te importa, me gustaría que lo habláramos luego. Ahora me gustaría examinarte, por supuesto, con el permiso del doctor Green —acotó viendo fugazmente a Lucius—. Es únicamente una inspección superficial, yo también soy científico —dijo mientras miraba a Salvador—. Claro, nunca he sido un genio como tu padre—, acotó de inmediato.

Lucius, que se había mantenido al margen, hizo una inclinación de cabeza en señal de asentimiento.

Salvador se sometió dócilmente al examen, Lucius no pudo evitar un estremecimiento que no supo explicar por qué se originaba. Asimismo, notó que las manos enguantadas de Judas temblaron de manera perceptible cuando comenzó a palpar el pecho desnudo del joven.

La revisión fue más rápida de lo que el doctor Green pensaba. Judas palpó el pecho y la espalda de Salvador. Le revisó las manos y los pies. Quizá la prisa se debía a su evidente nerviosismo. Lucius juraría que el hombre estaba pálido.

Salvador se puso de nuevo la franela y miró a los científicos.

—Todo está bien —dijo Judas con voz cansada—. Me temo que las emociones han sido grandes y me siento agotado, pero vendré pronto para seguir charlando contigo, Salvador.

Lucius percibió un cambio en Judas, el hombre dinámico y vital ahora se veía decaído, como si de pronto hubiese perdido toda la energía. A lo mejor era cierto que las emociones terminaron agotándolo. Judas le dio un abrazo a Salvador que el muchacho respondió de forma efusiva, luego abandonó la habitación velozmente. Lucius lo siguió intrigado y lo alcanzó en la puerta, acercó su rostro al lector de reconocimiento facial y esta se abrió. Los hombres atravesaron un pequeño pasaje y llegaron al laboratorio privado del doctor Green. Sin decir palabra se despojaron de los trajes y los lanzaron al tacho de la basura.

—Por favor, dame un vaso de agua —pidió Judas—. El cansancio me explotó de repente, en el momento menos indicado. Creo que ha sido el estrés y las emociones. Es increíble, sentí algo raro mientras examinaba a Salvador, como un torrente atravesándome el cuerpo. Tengo que ordenar mis pensamientos, no termino de procesar este hallazgo.

—¿Un torrente? —inquirió Lucius acercándole el vaso de agua.

—Sí, como un fluido tibio que me recorrió de pies a cabeza —dijo, pero al ver el rostro interrogante de su colega desistió del tema —¡Bah! No me hagas caso, dime, ¿alguien más sabe que Salvador existe?, es decir, alguien fuera de tus ayudantes y ahora yo.

—Pues, no —dijo, y Judas se dio cuenta de que había respondido demasiado rápido, pero no le hizo ninguna observación.

—Perfecto —dijo y le devolvió el vaso vacío—. Eso está bien, escucha, ahora voy a llamar a mi chofer, pero no quiero que hables de esto con nadie. No sé si estás consciente de la fortuna que tienes entre las manos, y al mismo tiempo del riesgo que representa —dijo levantándose, mientras sacaba su teléfono móvil del bolsillo de la chaqueta—. Hoy mismo solicitaré que actualicen todos los protocolos de seguridad del laboratorio, también sería bueno reforzar la vigilancia en los alrededores. Este lugar está muy alejado, lo cual lo convierte en un blanco vulnerable.

—No he pensado en otros riesgos aparte de los que supone su carácter ilegal, como ya sabemos —acotó Lucius—, me gustaría que te explicaras mejor, porque no entiendo qué temes. No me molesta que conviertas el laboratorio en una fortaleza, pero me intriga este despliegue de seguridad. Aquí hemos estado trabajando sin inconvenientes —dijo Lucius inquieto.

Judas no le respondió porque justo en ese momento entró la llamada de su chofer que, en realidad, era su guardaespaldas. Le ordenó que se apresurara y colgó sin esperar respuesta.

—Salvador es la joya de la corona, cualquier exceso de seguridad para protegerlo no está de más —dijo—. Ya te llamaré para explicarte el motivo de mis precauciones.

Lucius comenzó a ponerse nervioso. No le gustaba mentir y ahora se le estaba haciendo cuesta arriba mantener su farsa. Mientras su amigo hablaba de circuitos de seguridad, el sopesaba la idea de confesarle su conversación con Marcelo Mazzini.

Quince minutos más tarde los hombres se estaban despidiendo en el estacionamiento. Lucius reconoció a los dos guardaespaldas.

—¿Sigues utilizando escolta de seguridad? —preguntó irónico.

—Sí, recuerda que ya llevo tres atentados —respondió mientras entraba al auto.

Lucius lo sabía, se sintió estúpido por haber olvidado los ataques que había sufrido su amigo. Las portezuelas se cerraron y el vehículo se puso en marcha de inmediato.

El doctor Green se quedó parado en el terreno del estacionamiento, una brisa fría le golpeó el rostro. No le gustaba el rumbo que estaban tomando los acontecimientos. Detrás de unos árboles, Mark lo observaba con expresión grave, mientras la medalla de cinco puntas refulgía con un brillo enigmático.

Capítulo VII

Creo que perdemos la inmortalidad porque la resistencia a
la muerte no ha evolucionado.

Adolfo Bioy Casares

Marcelo descendió velozmente las escaleras y se sometió al escáner de iris para acceder a su oficina. Estaba apurado. El vehículo que lo llevaría al aeropuerto ya lo estaba esperando. No obstante, tuvo que regresar porque, en medio de las prisas, casi olvida la billetera con sus documentos. La había dejado sobre el escritorio aquella misma mañana, cuando se le derramó una taza de café encima, y lo primero que hizo fue sacarla, mientras se secaba con una servilleta y llamaba para que limpiaran el lugar. Después salió a cambiarse la chaqueta y la camisa y luego se ocupó de otras cosas, olvidando por completo la billetera. Iba absorto en sus cavilaciones, pero cuando entró en la estancia se detuvo en seco al ver una pila de carpetas sobre una silla. Se extrañó, pues tenía la certeza de haber guardado aquel material. Sin moverse del lugar donde estaba observó que los objetos que siempre utilizaba a diario, como un par de sellos y una grapadora pequeña, se hallaban encima del escritorio y él los había guardado, en cambio, su billetera no estaba. Un presentimiento le atenazó el estómago.

De inmediato recorrió la pequeña distancia que lo separaba de la computadora principal y la encendió, las manos le sudaban. Mientras el aparato boteaba hizo una rápida inspección en el recinto, no tuvo dudas de que había sido requisado. Apenas la pantalla indicó que el sistema estaba listo, él se apresuró a introducir su clave, y cuando examinó las carpetas vio con espanto que faltaban todos los archivos del proyecto Simeón. Sintió náuseas. El impacto lo dejó tan aturdido, como si hubiese recibido un disparo en la cabeza. Sintió que la sangre se le helaba en las venas y, tembloroso, sacó su teléfono, marcó el número del secretario. Mientras el aparato repicaba, prosiguió buscando nerviosamente en todas las carpetas, aunque sabía que no encontraría nada. El secretario no respondió, Marcelo colgó y llamó a su asistente, que de inmediato tocó la puerta, a pesar de que estaba abierta.

—Adelante —dijo.

Un joven sacerdote entró.

—¿Quién ha estado hurgando en mis cosas? —preguntó Marcelo con ira contenida.

El asistente lo miró extrañado.

—Nadie, estoy absolutamente seguro de que nadie ha entrado aquí —afirmó con voz que delataba su sorpresa—. Ni siquiera yo.

Marcelo Mazzini pensó en decirle lo que ocurría, pero decidió guardar silencio. La persona que irrumpió tenía las claves de seguridad para ingresar a su oficina y activar el ordenador. Solo el Concejo Científico tenía acceso a sus datos confidenciales.

—¿Pasa algo? —preguntó el joven sacerdote.

—No, pensé que alguien había estado por aquí buscándome —dijo con voz que pretendía sonar firme.

Le hizo un ademán indicándole que se podía ir, el joven hizo una reverencia y se marchó. Marcelo Mazzini marcó de nuevo el número del secretario, esta vez ni siquiera repicó, solo hubo silencio. No entendía qué buscaban en sus archivos, por qué invadieron de esa forma su oficina. El Concejo Científico sabía que él no guardaba archivos confidenciales. ¿Acaso alguien intuía que ocultaba información? Si era el caso, allí no encontraría nada comprometedor. Sería estúpido e ingenuo ocultar ese tipo de información en el núcleo de las investigaciones. Sintió sed y ganas de ir al baño al mismo tiempo. Su ansiedad se iba incrementando a medida que pasaban los minutos y no obtenía ningún tipo de respuesta. De pronto recordó por qué había ido hasta su oficina y comenzó a buscar en las gavetas, halló su billetera por fin en una de las gavetas. La agarró y se quedó pensativo un momento. Estaba recordando un estuche que había comprado hacía años para guardar una joya que hizo fabricar. Obedeciendo a un oculto presentimiento decidió que, dado el giro de los acontecimientos, era mejor que estuviera en manos de Ana. Miró su reloj, aún tenía tiempo de pasar por su departamento y buscarlo, debía hacer una parada en alguna joyería para que se lo envolvieran como un regalo. Cuando hablara con su hija le explicaría qué era y cuándo usarlo. Salió raudo de su oficina, ni siquiera cerró la puerta.

***

Era casi medianoche cuando Marcelo Mazzini llegó al Aeropuerto Internacional Toronto Pearson. Personalmente se ocupó de todas las gestiones referentes al viaje, desde comprar el boleto hasta el alquiler del auto. Vio la hora en un reloj digital que se encontraba encima de la puerta de una taquilla, pero no se preocupó porque le aseguraron que la oficina de alquiler de vehículos trabajaba veinticuatro horas. Apenas salió de la zona de embarque se encaminó presuroso hacia la oficina. Se desplazó por solitarios pasillos iluminados con una luz blanca que le daba una apariencia de soledad futurista. El vuelo se había retrasado dos horas, durante ese tiempo estuvo ensimismado, sin moverse de su asiento, buscando una explicación a la requisa de su oficina. En vano había tratado de comunicarse con el secretario, tampoco pudo ubicar a ninguno de los dos miembros del Concejo Científico con los que tenía más confianza. Trató de concentrarse en su visita al laboratorio de Lucius, pensó en su hija, quería verla, a pesar de que Ana siempre se había mostrado fría y distante con él desde que su madre se suicidara. Ella lo culpó por haberla dejado sola.

Un empleado con los ojos hinchados de sueño lo atendió de forma mecánica. Revisó su documentación, cotejó los datos en una pantalla y le entregó un sobre junto con las llaves del auto. Marcelo firmó un documento y salió veloz del lugar. Pensó en comprar algo para comer, pero le pareció una pérdida de tiempo, al menos en el aeropuerto, no tenía ni idea de dónde ubicar un local con comida a esa hora. Decidió hacerlo en el camino si veía algún sitio abierto. Según sus cálculos tendría que conducir alrededor de unas dos horas hasta la vía en la que se hallaba la carretera que llevaba al laboratorio.

Fue un alivio salir al aire frío de la noche después de tantas horas encerrado. Sin disminuir el paso, Marcelo se encaminó hacia el estacionamiento, encontró el automóvil en el lugar indicado, se subió a él sin demora y se abrochó el cinturón de seguridad. Decidió llamar a Lucius cuando llegara al laboratorio, no tenía sentido molestarlo antes. Calculó que estaría allí a eso de las tres de la mañana. El plan inicial era llegar primero al hotel donde tenía reservada una habitación, pero después de los últimos acontecimientos en su oficina, optó por ir directo al laboratorio. De cualquier modo, Lucius vivía allí mismo, así que no sería problema encontrarlo en el lugar. Con esta idea salió de las inmediaciones del aeropuerto y se dirigió hacia la autopista.

Después de conducir durante media hora por una vía casi desierta, ingresó a otro tramo de la autopista donde había más tráfico, incluso, la carretera se veía más iluminada. Marcelo bostezó, delante iba un furgón que se desplazaba con una lentitud exasperante. Miró por el retrovisor mientras se cambiaba al canal rápido, pero el furgón también lo hizo con una velocidad que lo asombró. No le dio tiempo ni siquiera a tocar la corneta porque en ese instante vio un todoterreno negro que se movía a toda velocidad y se abalanzó sobre su pequeño auto. Todo ocurrió en cuestión de pocos minutos, Marcelo no tuvo tiempo de reaccionar y sintió el impacto que lo hizo derrapar peligrosamente hasta la orilla y se aferró al volante tratando de enderezar el automóvil. Otra violenta embestida lo empujó con tanta fuerza hasta la valla que el auto de alquiler saltó el brocal y cayó al vacío.

Capítulo VIII

*Nosotros somos nuestro propio demonio, y nosotros hacemos
de este mundo nuestro infierno.*

Oscar Wilde

Entretanto, en el laboratorio avanzaban los preparativos para hacer la presentación de lo que sin duda marcaría un hito en la historia de la medicina regenerativa: la creación de órganos. El nivel de eficacia que lograron en el proyecto había despejado cualquier duda, de esa forma pasaron del sueño al hecho. Fueron años de investigación, de arduo trabajo, horas de observación y cuidado. Nadie, salvo los mismos investigadores, podía imaginar el andamiaje detrás del trabajo para llegar a ese resultado. Lucius estaba contento, se sentía agradecido con su equipo y con Judas, pues sin él no hubiese obtenido el capital necesario para lograr aquella proeza científica. Lucius no era un hombre efusivo ni extrovertido. A él le interesaba el campo de la investigación y lo relativo a eventos de carácter público lo aburrían, de hecho, no tenía ni la menor idea de cómo se organizaban esas exposiciones con pantallas, periodistas, *buffet* y otros meollos que requerían una compleja logística. Por eso delegó en la doctora Mazzini la tarea que les correspondía como presentadores. Aunque la agencia de Judas McLife se estaba encargando de todo, a ellos les tocaba preparar presentaciones, el discurso y otras acciones concernientes.

Lucius sabía que Judas estaba acelerando el proceso, él hubiese esperado unos meses más, pero no había problema, la fase de observación que deseaba proseguir era solo de refuerzo. Lo que preocupaba a Lucius era que Judas McLife quería pasar más tiempo con Salvador. Por fortuna, sus múltiples obligaciones le impidieron regresar al Complejo, las gestiones con patentes biotecnológicas eran delicadas y complejas, lo cual mantenía ocupado a Judas la mayor parte del tiempo, pero el doctor Green sabía que tarde o temprano lo tendría instalado en el laboratorio.

Había otra cosa que no dejaba de inquietar al científico, había observado la afinidad entre Salvador y Ana. Al principio trató de ver aquel vínculo como una simple relación madre e hijo, ya que Ana era la primera y única mujer que Salvador había visto. Pensó que, quizá, se podría ver como una especie de complejo de Edipo, pero luego de reflexionar sobre el tema se dijo que no era exacto; Ana no era su madre, además solo le llevaba unos años, Salvador tenía veinticinco y ella veintinueve. Esos datos aumentaron su aprensión. También percibió, en ciertas ocasiones, que Tomás se sentía molesto frente a Salvador. Incluso, cuando le tocaba el turno de atenderlo, lo hacía de mala gana, aunque al principio se le notaba la emoción por estar cerca del joven. Por fortuna, Mark estaba siempre cerca, atento y protector, dispuesto a echarle una mano si Tomás conseguía alguna excusa para evadir su tiempo de guardia.

Lucius, por naturaleza, era observador, pero dedicaba todo su tiempo a prestar atención a sus experimentos, de tal modo que el mundo le pasaba por un lado y él ni se percataba.

Lo sabía, y se sintió peor. ¿Desde cuándo Ana y Salvador mantenían ese tipo de relación? En todo caso, tenía que hablar con ellos. Apenas terminara el compromiso de la presentación, se encargaría de ese asunto.

Había percibido que a Tomás le desagradaba la relación entre Ana y Salvador. Lucius podía comprenderlo, hasta cierto punto, pues, aunque Ana no era su prometida, él había estado durante esos cinco años cerca de ella, insistiendo. Incluso, Lucius creía que eran amantes, o algo parecido. Sin embargo, no dejaba de pensar que la actitud de Tomás, era pueril. Salvador no albergaba malicia ni mala intención en su corazón, eso Lucius lo podía jurar sobre una Biblia. El chico necesitaba de ellos, le parecía absurdo que el doctor Johnson se comportara de ese modo.

Salvador constituía el triunfo más alto de Lucius, era su proyecto, su creación. Se sentía con todo el derecho de protegerlo, aún de tonterías como los celos infundados de Tomás. Lucius recordaba todo el proceso, desde que era una idea hasta verlo materializado en una incubadora. Guardaba en sus archivos miles de ecografías que contenían cada momento en la metamorfosis del embrión, desde el instante en que percibió el primer latido de aquel corazón hasta la fecha en que nació.

Él había seguido las instrucciones de Marcelo, aunque de igual forma contaba con toda la documentación de su proyecto privado. Sin embargo, se dijo con inquietud, ahora dudaba de la naturaleza de Salvador y prefería observarlo durante más tiempo. Lucius nunca se planteó la idea de ocultarle a Judas el proyecto, pero no quería que se inmiscuyera en los asuntos relativos al joven. El doctor Lucius Green temía a la codicia de Judas McLife. Por supuesto, estaba consciente de que él era el único que podía conseguir inversores para que su laboratorio siguiera adelante; sabía que estaba en sus manos.

Lucius le pidió a Ana que tratara de limar asperezas con Tomás, se había dado cuenta de que discutían mucho, y sospechaba que se debía a los celos. Un par de días antes escuchó, sin querer, una disputa entre ellos.

—Deberías moderar la expresión de tus sentimientos hacia Salvador —dijo Tomás—. Entiendo que lo veas como a un niño por su edad biológica y por su inexperiencia amorosa, pero sé razonable, él es un hombre y actualmente piensa como un adulto. No podemos estar seguros de que te ve como a una madre.

—¿Quieres decir que debo reprimirme? —respondió Ana—. No estoy de acuerdo. Él está en proceso de adaptación y necesita todo el cariño y amor que pueda recibir. Es como una esponja que absorbe información de calidad, si nosotros no se la damos, cuando salga al mundo exterior alguien lo hará.

—No se trata de celos, Ana —acotó Tomás.

—Espero que no, Tomás, eso es ridículo —dijo ella evidentemente irritada—, por Dios santo, él es un experimento. Además, no sé de qué te quejas, ni por qué, pues desde hace tiempo no has demostrado el más mínimo interés por estar a mi lado.

Él no pronunció palabra. Sabía que en el fondo ella tenía razón, siempre tenía planes de acercársele, pero los posponía pensando que habría una nueva oportunidad trabajando a su lado. Ahora todo era diferente.

Lo que Lucius ignoraba, al igual que Tomás y Ana, era que Salvador estaba escuchando. Por primera vez sus facultades extrasensoriales se activaron con las últimas palabras de ella. El joven percibió de inmediato que Ana estaba mintiéndole a Tomás. No entendía por qué, pero sabía que estaba molesta.

—Está bien Ana, no te alteres —le dijo Tomás, acercándosele—. Creo que nos hemos exaltado. En realidad, no tiene ningún sentido hacerlo. Ambos lo amamos y queremos lo mejor para él.

—Me siento mal por lo que dije —respondió Ana secándose las lágrimas—. Es mucho más que un proyecto científico.

—Lo sé, no tienes que darme ninguna explicación —aceptó Tomás—. Y estoy seguro de que él también lo sabe.

Salvador vio cómo se abrazaban y, sin que pudiese entender en ese momento qué le estaba pasando, sintió que lo embargaba una emoción desagradable.

Esa noche todos durmieron profundamente, menos Salvador que, por primera vez, tuvo un sueño. Se despertó sobresaltado a las dos de la madrugada y se quedó con los ojos abiertos durante horas viendo hacia el techo, inmóvil. En su corta existencia nunca había soñado, pero supo en el acto de qué se trataba. Soñó que Judas lo veía a través de un cristal, una expresión grave le surcaba el rostro. A pesar del vidrio, Salvador escuchó perfectamente cuando le dijo: «Ya es hora de que despiertes y asumas tu destino».

El amanecer comenzaba a perfilarse en el horizonte cuando Salvador comenzó a emerger de su meditación. A partir de este momento supo que debía tomar la batuta de su historia y dejar de ser el experimento científico que le dio origen. Vislumbró días difíciles, tareas arriesgadas y enigmas por descifrar. Alzó los brazos y dio la bienvenida a esa voluntad extraña y poderosa que atravesó su ser.

Capítulo IX

La humanidad no puede soportar mucha realidad.

T.S. Elliot

Judas McLife, se hallaba en su confortable despacho, apenas eran las seis de la mañana, pero siempre llegaba antes que su asistente personal, era un adicto al trabajo. Se levantaba a las cinco y, cuando estaba en casa y no en uno de sus frecuentes viajes de negocios, hacía una hora de ejercicio en su gimnasio, luego se duchaba, tomaba un desayuno y partía hacia su oficina.

Aquella mañana repasaba los últimos hechos en el laboratorio de Lucius. Al principio se preguntó de dónde su amigo había sacado la inyección de capital para su proyecto secreto, pero pronto se dio cuenta de que había desviado ingresos del financiamiento que su propia compañía le otorgó. En otras condiciones Judas hubiese reclamado esa falta de honestidad, quizá hasta lo hubiera dejado sin capital, pero con los resultados que le presentó, no podía menos que agradecer esa iniciativa.

En cuanto regresó a su oficina, le ordenó a su asistente que iniciara los preparativos para la presentación de los resultados sobre el proyecto de órganos a partir de las células madre pluripotentes inducidas. Uno de los motivos de llegar antes que sus empleados, fue para trabajar en su introducción sin que nadie lo molestase. Pensaba comenzar su intervención con la feliz noticia de los órganos artificiales; después, recordar aquella idea, el trabajo, la dedicación y, por supuesto, la ingente inversión que requirió el proyecto para que ningún paciente esperara años por el trasplante de órgano que necesitara, sino que ya era posible realizar ese tipo de operación en cuestión de semanas.

Tenía que ingeniárselas para dar a conocer a Salvador. Como ese caso no fue controlado, el experimento carecía de los fundamentos indispensables para ser registrado y publicado. Sin embargo, quería asegurarse de que Lucius no fuera el único poseedor de ese secreto. Judas era consciente de que el hermetismo no era nada raro en los laboratorios privados, sabía que muchas veces esa reserva se mantenía durante años, hasta que los resultados de las investigaciones fueran incontrovertibles, a veces, incluso, se conservaban custodiados por tiempo indefinido. Dada la importancia que revestía la creación de Salvador, Judas no podía correr el riesgo de que Lucius lo ocultara en un dominio impenetrable.

Judas se reunió con el experto en fondos de inversión libre, de su equipo financiero, el mismo día que regresó del laboratorio de Lucius. Aparte de una pequeña parada que hizo en una gasolinera, no se detuvo en ningún otro lado y llegó a la ciudad a las cinco de la tarde. En el camino había llamado al experto y lo invitó a cenar en su casa. En cuanto terminaron de comer se lo llevó a la terraza, desde la que se observaba una imponente vista de la ciudad, y le contó todo lo que sabía acerca de Salvador. El hombre se quedó con la boca abierta, apuró su whisky y se sirvió otro, le costaba creer lo que escuchaba. Si no hubiese conocido lo suficiente a Judas McLife hubiera jurado que le estaba tomando el pelo, pero sabía que el empresario no jugaba con sus negocios. Se dio cuenta de que Judas estaba emocionado, lo cual era una novedad porque no recordaba haberlo visto así jamás.

Al fin, cuando se repuso del impacto por semejante noticia, su cerebro comenzó a moverse rápidamente. Le dijo a Judas que, con ese resultado, podía conseguir capital ilimitado para continuar con otros proyectos o con lo que le diera la gana hacer, por supuesto, siempre de forma solapada, pues dado el aspecto ilegal del experimento no podían arriesgarse a hacerlo de forma abierta. Ambos sabían que los inversionistas iban a sobrar, no era secreto que miles de personas soñaban con la clonación de un ser querido, de una artista, de gente que consideraban imprescindible. Y ni siquiera tenían que obligar al doctor Lucius Green a realizar otro experimento igual, solo debían apoderarse de los cuadernos bitácora y listo. Al asesor le parecía relativamente fácil porque Mefisto Genomics hacía constantemente mantenimiento en las unidades del laboratorio, no sería mayor problema que uno de esos técnicos sustrajera los cuadernos. Solo era cuestión de organizar el trabajo. En cuanto a reclamar a Salvador como su propiedad, Judas podía hacerlo perfectamente ya que Lucius utilizó dinero de Mefisto Genomics para desarrollar su investigación. El asesor le dijo que, si se negaba a entregarle a Salvador, se le recordaría que su experimento había infringido la ley, lo cual era nefasto para su futuro. Además, podía ser acusado de estafa, ya que había desviado los fondos destinados a una investigación para realizar otra. Con esa acusación iría preso. Eso era lo que McLife quería escuchar. En ningún momento le confesó al asesor que, en realidad, esta vez no era un asunto de negocios, sino que se había obsesionado con Salvador, sentía una afinidad extraordinaria con el joven, como si fuera un hijo querido.

Judas McLife se recostó en el sofá con aire satisfecho, esbozó una sonrisa y levantó su copa en señal de brindis. El asesor también sonrió y alzó la suya.

Años atrás Judas había perdido a una novia, en realidad, fue la única mujer que amó de verdad. Leticia murió en un accidente absurdo cuando finalizaba su último año de diseño industrial en la universidad. En ese entonces el joven Judas McLife no tenía dinero, apenas estaba recién graduado y soñaba con crear y perfeccionar un prototipo láser que, al final, no llegó a ninguna parte. Cuando Leticia fue atropellada por un auto, Judas se quedó en el hospital durante las dos semanas que ella estuvo en un coma, del cual nunca despertó. La chica murió entubada mientras Judas le apretaba una mano, llorando, impotente ante la fatalidad que le había arrebatado el amor más hermoso de su vida. Después de aquel suceso Judas se volvió taciturno, perdió el interés en su proyecto y buscó refugio en otros nuevos. Se percató de que las horas de actividad lograban abstraerlo momentáneamente de su dolor, así que las incrementó hasta volverse un adicto al trabajo. Se enfocó de tal modo en sus actividades que su vida se movía dentro de una burbuja que creó a su imagen y semejanza.

Tiempo después conoció a una bióloga molecular y se casó con ella. Al principio creyó que estaba enamorado, pero a los dos años de matrimonio, justo cuando nació su primer y único hijo, se separó de ella y del pequeño. Él había tratado de involucrarla en su trabajo, intentó convencerla de que, trabajando con él, ganaría más dinero, pero la mujer no mostró interés por los proyectos de su marido. Era supervisora en un laboratorio especialista en líneas de belleza. Ahora ella debería estar allí con su hijo compartiendo el enorme triunfo que Judas McLife estaba a punto de obtener, pero la mujer vivía en Nueva York y rara vez atendía las llamadas de su exesposo. Era evidente que ni él ni su fortuna le interesaban.

La muerte de Leticia lo transformó en misógino. Cuando conoció a la que sería su esposa, pensó que había superado esa condición, pero poco tiempo después supo que prefería la soledad a cualquier compañía femenina. Por eso le pidió el divorcio sin detenerse a pensar en su recién nacido hijo. Ella tampoco manifestó ningún deseo de seguir a su lado y firmó de inmediato los papeles que él le mandó con su abogado. Cuando la necesidad fisiológica de sexo lo obligaba a buscar una mujer, prefería ir a lugares donde hallaba a alguna chica dispuesta a complacerlo por unos pocos dólares.

Sentía predilección enfermiza por mujeres humildes, mujeres que, sin ser prostitutas, se veían en la necesidad de vender su cuerpo para mantenerse, o mantener a su familia. La tarde en que regresaba del laboratorio de Lucius había visto a una chica que, a pesar de su ropa humilde, se le notaba un buen cuerpo. No fue difícil sonsacar a la joven trabajadora que lo llevó hasta un cuartucho en la parte de atrás de la gasolinera.

Después de esos eventos Judas seguía su vida como si nada hubiese pasado. Esa sensación era lo que más le gustaba, no había remordimiento ni ataduras, ni amor, ni nada. Se sentía superior, fuerte, inatacable.

**

El sonido de una puerta al cerrarse sobresaltó a Judas que llevaba más de cuarenta minutos concentrado en su trabajo.

Supuso que era su secretaria, pues era la única que llegaba antes de la hora reglamentaria. Se levantó de su poltrona y fue hasta su máquina de café exprés. Aprovechó para encender el televisor y ver las noticias del día.

Se arrellanó de nuevo en su sillón y miró distraídamente hacia la enorme pantalla led. Una joven periodista estaba hablando de un aparatoso accidente. Al fondo se veía un montón de chatarra retorcida. Judas saltó de su asiento cuando escuchó el nombre del conductor, que había muerto en el acto, según la reportera. Se quedó de pie, con la boca abierta viendo la noticia. No fue difícil conjeturar qué hacía Marcelo Mazzini en Canadá, estaba seguro de que iba a entrevistarse con Lucius. Lo que disparó su alarma fue el hecho de que tuviera un accidente.

De inmediato llamó por teléfono a George Bellow y le ordenó que averiguara todo acerca del accidente que había acabado con la vida de Marcelo Mazzini. Luego colgó y comenzó a pasear por su despacho mientras pensaba en todas las opciones imaginables. Era evidente que Marcelo se iba a encontrar con Lucius. Judas sabía que el doctor Mazzini era el jefe de un departamento de investigaciones científicas del Vaticano. Ese hombre rara vez salía de Italia y cuando lo hacía era por instrucciones del Concejo Científico de la Santa Sede. Todo indicaba que el repentino viaje debía ser para conocer a Salvador, de otro modo, hubiesen resuelto cualquier asunto, como siempre lo hicieron, vía correo electrónico o videoconferencia, o simplemente por teléfono. Es decir, Lucius le había mentido cuando le aseguró que, aparte de su pequeño equipo, nadie más conocía la existencia de Salvador; o quizá lo traicionó al aseverarle aquello y luego salió a contarle todo a Marcelo. Judas presintió que alguien se había encargado de sacar al científico del juego, ¿por qué? Intuyó quién había sido y presintió la inminencia del peligro. Le dio un golpe al escritorio.

—¡Maldita sea! —exclamó —ese idiota me las pagará.

Mientras esperaba el informe de su jefe de seguridad, resolvió llamar a Lucius. Era bueno que supiera lo que su estupidez había ocasionado, y una forma de sacarle más datos. Judas necesitaba saber cuánta información había soltado ese imbécil.

***

Lucius también estaba acostumbrado a madrugar, pero desde hacía algunos meses, dormía alrededor de cinco horas. Apenas eran las seis y ya estaba preparando el desayuno, en el mesón tenía una humeante taza de café. Ese día llevarían a Salvador a la ciudad, era la primera vez que se alejaría del Complejo y estaría cerca de otras personas ajenas a su proceso. Lucius vio a una de las pantallas que tenía ubicada en la cocina y observó que Salvador se acababa de despertar. Lucius, Ana y Tomás tenían una aplicación en sus iPhone que les alertaba de los cambios en la temperatura de Salvador y de cualquier alteración en su sistema nervioso, neurológico o cardiovascular. Desde que era un embrión hasta la fecha presente lo tenían monitorizado las veinticuatro horas.

El doctor Green vio cuando Salvador se levantó y se dirigió hacia el baño. Cuando pasó cerca de la cámara levantó la mano en señal de saludo y sonrió, Lucius se sobresaltó, era la primera vez que hacía aquello. ¿Desde cuándo sabría que lo estaban observando? Él había tenido especial cuidado en que Salvador no se sintiera vigilado para evitar el estrés o cualquier tipo de tensión que pudiera afectarlo. Cuando el chico visitaba el apartamento de Lucius, él mantenía apagada la pantalla que monitorizaba sus habitaciones. De igual forma procedía en la oficina y en el laboratorio, aunque Salvador nunca se acercaba a este espacio, pues sabía que era una zona reservada al personal de investigación.

Imaginó que el joven estaría un poco agitado, el día anterior cuando le comunicaron los planes se emocionó tanto como si fuera un niño. Pronto Ana lo iría a buscar, esa mañana desayunarían todos en el departamento de Lucius Green. El científico había cambiado su agenda rápidamente después de la intempestiva visita de Judas. Quería que la preparación del chico fuera más lenta para no alterar sus emociones, no quería exponerlo, ni exponerse él como creador a ningún riesgo, pero dadas las circunstancias no tenía alternativa.

Ana y Salvador llegaron juntos y saludaron a Lucius. El joven se veía radiante, Lucius se preguntó si Ana no tendría que ver con esa felicidad o si solo sería por la salida de ese día. Ya Lucius estaba terminando el desayuno y Ana se acercó para ayudarlo.

—¿Dónde está Tomás? —preguntó Lucius mientras servía café para sus invitados.

—Supongo que ya viene —respondió Ana—, lo vi antes de ir a buscar a Salvador.

Justo en ese momento llegó Tomás y saludó con la amabilidad de siempre, sin embargo, Lucius notó que estaba más serio que de costumbre. Ana le sirvió el café y la comida, él ni siquiera la miró. El científico intuyó que estaban peleados. No obstante, la alegría de Salvador era contagiosa, y con sus comentarios logró que el desayuno fuera relajado y transcurriera en un ambiente casi festivo.

Ana se encargó de fregar y Tomás la ayudó a limpiar.

—Tomás, ¿trajiste tu cámara? —le preguntó Lucius viendo su pequeño morral.

—¡No! Caramba, menos mal que me lo recordaste, dejé el equipo en el laboratorio.

—Está bien —dijo Lucius—. Yo voy un momento a mi oficina, Salvador y Ana y pueden ir bajando y nos esperan en el carro —dijo viendo a la pareja que se apresuró a obedecer.

Los dos hombres los siguieron, pero mientras los jóvenes comenzaron a descender por las escaleras, ellos tomaron un pasillo que conducía a un ala del laboratorio. Al llegar ante una puerta blindada se sometieron a un escáner de retina, la puerta se abrió y los científicos ingresaron al interior del laboratorio, iban hablando acerca de la mejor ruta para llegar a la ciudad. Luego se separaron, Tomás se dirigió hacia unas escaleras y Lucius prosiguió por el largo pasillo que lo llevaría hasta su oficina.

Tomás entró al laboratorio que aún estaba solo, el sonido de las campanas de ventilación zumbaba en la estancia con un suave rumor. Atravesó el recinto y fue hasta su cubículo, allí estaba la mochila con el equipo fotográfico. Lo recogió y, cuando se disponía a salir, repicó el teléfono, a esa hora la recepcionista que atendía la central telefónica no había llegado y Tomás atendió de inmediato, pero no tuvo tiempo de hablar porque escuchó la voz de Lucius que había atendido al mismo tiempo que él. Su primer impulso fue de colgar, pero se impuso su curiosidad periodística y mantuvo el auricular pegado a su oreja. La otra voz que respondió al saludo de su jefe era la de Judas y en el acto supo que esa llamada obedecía a un motivo importante. Judas McLife jamás había llamado a esa hora, y menos al laboratorio.

—Aló, buenos días —dijo Lucius.

—Así que le contaste a Mazzini lo de Salvador y me traicionaste ¿o ya le habías contado y me mentiste? —preguntó Judas con tono agresivo.

—¿De qué hablas? —dijo Lucius con voz insegura.

—¡Tú sabes de qué hablo! Me has decepcionado. Si no hubiese sido por el accidente no me entero, al menos por ahora.

—¿Qué accidente? —preguntó Lucius en el acto.

—¿No sabes nada? ¿No has visto las noticias? —le preguntó Judas—. Marcelo Mazzini anoche llegó a Canadá y partió hacia tu laboratorio en un auto que había alquilado. Según la noticia iba a exceso de velocidad, perdió el control y se despeñó por un precipicio de los que abundan en esa vía, tú los conoces. Murió en el acto.

Lucius guardó silencio, Tomás contuvo la respiración y sintió que la bocina se les salía de las sudorosas manos.

—¡Aló, Lucius! ¿Sigues ahí? —preguntó Judas exasperado.

—¿Sabes a dónde llevaron el cadáver? Tengo que ir ahora mismo...

—Espera un momento —lo interrumpió Judas—, antes necesito saber la verdad, y apelo a los años de amistad que nos han unido, por favor, sin mentiras —acotó—. Quiero saber qué tiene que ver Salvador con el proyecto del Vaticano. No sé por qué creo que su ADN es el mismo que lograste aislar del Sudario.

—Judas yo…

—No me interrumpas —vociferó Judas—. Para que Marcelo Mazzini abandonara su torre de marfil en la Santa Sede y saliera a toda mecha de un aeropuerto a media noche, debió tener un motivo demasiado importante. ¿Clonaste al Galileo?

—Lo mejor es discutir esto personalmente —dijo Lucius con voz neutra—. Ahora debo hablar con Ana y localizar el cadáver.

—El cuerpo lo tienen en la morgue central —dijo Judas—. ¿Te parece si nos vemos allá?

—No, prefiero que tú y yo nos veamos a solas.

—Perfecto, te llamaré cuando esté cerca, podemos almorzar juntos.

—Está bien —dijo Lucius y colgó.

Tomás vio un momento el auricular, luego colgó rápidamente y salió con paso veloz hacia el estacionamiento. En el camino se pasó las manos por el cabello, imaginó que tenía los pelos de punta, las confidencias que había escuchado lo dejaron impactado. Hizo varias respiraciones profundas para calmar su ritmo cardiaco que debía estar como a 150 latidos por minuto. Al salir, el aire fresco de la mañana lo ayudó a recuperarse. Caminó despacio hasta la camioneta de Lucius. Subió y se acomodó en el puesto del copiloto.

—¿Todo bien? —preguntó.

—Sí, respondió Salvador al ver que Ana guardaba silencio.

—Muy bien, ya Lucius debe venir en camino —dijo—. Fui al baño y pensé que me había tardado, pero ya veo que llegué a tiempo —dijo con la mayor naturalidad.

—Lucius siempre tiene algo que hacer a última hora —intervino Ana—, no es la primera vez que nos hace esperar, y tampoco será la última.

—Estoy ansioso por conocer la ciudad —terció Salvador.

Los tres siguieron conversando durante unos diez minutos hasta que vieron a Lucius en la puerta principal del laboratorio. Tomás, con disimulo, veía a Salvador con interés, ahora lo miraba de una forma distinta, ya ni siquiera sentía celos. No había dejado de pensar en las palabras de Judas, y su mente trabajaba velozmente recordando datos de cinco años atrás. Ahora, a la luz de aquella circunstancia, cada detalle del proyecto cobraba una dimensión distinta, inmensa, más importante de lo que hubiese imaginado nunca. Sintió un escalofrío, Salvador, como si lo supiera, lo miró y sonrió. En ese momento Lucius abrió la puerta de la camioneta y todos volvieron la vista hacia él, que se quedó mirándolos.

—Tenemos un inconveniente —dijo—. Me temo que traigo malas noticias para Ana.

—¿Qué pasó? —preguntó ella, intuyendo que el «inconveniente» estaba relacionado con su padre.

—Marcelo tuvo un accidente esta madrugada —dijo Lucius, consciente de que tendría que explicar por qué Marcelo Mazzini conducía hacia el laboratorio.

Ana miró a Lucius a los ojos, este le sostuvo la mirada.

—Lo siento —dijo Lucius en voz baja

Ana comprendió qué significaba aquella frase. Los ojos se le inundaron de lágrimas y Salvador la abrazó, ella ocultó su cara en el hombro del joven. Un leve estremecimiento sacudió su cuerpo. Tomás los observó y se dio cuenta de que Salvador le susurraba palabras a Ana, pero por más que intentó escuchar no alcanzó a oír nada. Lucius ni siquiera se dio cuenta, se le veía desencajado; subió a la camioneta y la encendió, cerró de un portazo y se abrochó el cinturón de seguridad.

El doctor Green no habló, quería dar tiempo a que Ana asimilara la noticia. A pesar de todo, la situación no fue tan dramática como imaginó. Sabía que la chica quería a su padre, pero había una grieta entre ellos que se encargó de separarlos.

—Vamos hasta la morgue central, allí tienen el cuerpo —dijo Lucius mientras ponía en marcha el motor—. Supongo que debemos reconocerlo.

Ana se separó de Salvador, y le clavó los ojos a Lucius que la veía por el espejo retrovisor.

—¿En la morgue central? ¿Cuándo llegó? ¿Por qué no me dijo nada? ¿Cómo te enteraste? —preguntó aferrándose al respaldo de las dos butacas delanteras y metiendo la cabeza entre Tomás y Lucius.

—Cálmate —dijo este—. Habló conmigo y me dijo que vendría a visitarnos, pero no me confirmó nada, no dijo que pensaba viajar de inmediato, por eso no lo comenté contigo —dijo, admitiendo cierta parte de la verdad. Pensaba contarle ese mismo día todo a Ana y a Tomás. Ya no podía seguir manteniendo aquel secreto.

Ana se recostó del mueble y cerró los ojos. Tomás se volteó y le tomo una mano. La sintió fría y pegajosa, tuvo el impulso de soltarla de inmediato, pero se dijo que era una actitud ridícula, incluso, descortés, tomando en cuenta el trance que ella estaba atravesando. En esa posición se mantuvo hasta que llegaron a la morgue. Durante todo el trayecto nadie habló. Todos estaban absortos en sus propias elucubraciones. Salvador veía el paisaje a través de la ventanilla cerrada.

Capítulo X

No le tengo miedo a la soledad; la gente es infinitamente más peligrosa.

Howard Lovecraft

Eran más de las diez de la noche y aún las luces del laboratorio permanecían encendidas. El equipo de Lucius, al salir, había apagado solo las de sus cubículos. Como siempre, el doctor Green se encargaba de las otras, pero ese día llegó al Complejo con su grupo pasadas las seis de la tarde. Casi todos estaban agotados, menos Salvador que se veía tan fresco como si se hubiese acabado de despertar. Al salir del laboratorio se dirigieron a la morgue central, allí fueron atendidos primero por una amable recepcionista, luego por el jefe de patología, que se mostró sorprendido cuando Ana le comunicó que ella era hija del occiso. El forense le informó a la joven que una comisión del Vaticano estaba en camino para retirar el cadáver. Según le informó el delegado de esa comisión, Marcelo Mazzini había firmado un documento donde autorizaba a las autoridades de la Santa Sede a encargarse de él y sus asuntos en caso de enfermedad, muerte o cualquier minusvalía que le impidiera ocuparse por sí mismo de sus cuestiones personales y financieras.

Ana no podía creer aquello, y Lucius Green llamó de inmediato a Judas, le explicó el caso y este mandó a un abogado especialista en ese tipo de cuestiones para que se entrevistara con la delegación vaticana. Lucius, Tomás y Ana se sentían atrapados por los tentáculos de la burocracia. Ellos eran investigadores científicos, no estaban acostumbrados a lidiar con leguleyos y trámites infinitos para una simple operación. Solo Salvador paseaba por el lugar y veía todo como si estuviera acostumbrado a ese ambiente. Lucius, en medio de aquel conflicto, no dejó de observarlo y su comportamiento le pareció desconcertante.

Perdieron toda la mañana entre esperas y conversaciones en el feo edifico de la morgue. El equipo de Judas no logró nada, efectivamente, la comisión llevaba los documentos que le autorizaba a llevarse el cuerpo de Marcelo Mazzini. Lo único que pudo hacer por Ana, fue que le permitieran ver el cadáver de su padre y le entregaran un estuche envuelto en papel de regalo con su nombre, que había sido hallado entre las pertenencias del cadáver. No había dudas de que se trataba de un obsequio que el hombre llevaba a su hija. Cuando Ana recibió el pequeño envoltorio tuvo que hacer un esfuerzo para no echarse a llorar.

Al principio Lucius se opuso a que Ana viera los restos de Marcelo. No tenían idea de las condiciones en las que había quedado el cuerpo después del aparatoso accidente, pero la chica se mostró testaruda y no quería escuchar razones, para colmo, Salvador le pidió que la dejara ir porque ella estaba preparada para ver el cadáver. Dijo que la joven sabía lo que estaba haciendo y era lo mejor para que confrontara y superara el conflicto con su padre.

Lucius se quedó de piedra, jamás imaginó que ese joven sin ninguna experiencia en azares y contingencias tuviera la capacidad emocional para emitir esos juicios tan serios. Tomás se quedó mirando a Salvador, pero se puso pálido y se marchó de allí. Lucius pensó que su creación lo había rebasado.

Al final Lucius acompañó a Ana hasta el depósito y ella, contra todo pronóstico, identificó el maltrecho cuerpo como el de su padre. Se comportó con una entereza que sorprendió a Lucius, que casi se desmaya cuando se dio cuenta de que Salvador estaba con ellos. No supo en qué momento había entrado en aquel frío y desagradable recinto, no lo vio cuando tomaron el ascensor ni cuando entraron allí. Cuando le preguntó cómo se las arregló para que lo dejaran pasar, se encogió de hombros y le dijo que siempre había estado con ellos. Lucius se sintió más perdido que nunca, pero no tenía fuerza ni tiempo para discutir ni hacer más preguntas. Necesitaba salir de ese lugar, el olor a formol y otras sustancias le revolvían el estómago. Finalmente logró sacar a Ana de aquel edificio. Cuando ella intentó discutir de nuevo con el patólogo por el cuerpo de su padre, Salvador la tomó de un brazo y la vio a los ojos, con suavidad le preguntó para qué quería esos despojos que ya no contenían al ser de Marcelo Mazzini. Le dijo que ese no era el hombre que ella quiso como padre, que ese, al que amaba, se hallaba sano y salvo en su corazón, de donde nadie lo podría sacar jamás. Al ver que la chica le prestaba atención, empezó a llevarla hacia la salida mientras le susurraba: *Dejad que los muertos entierren a sus muertos.*

Lucius tembló y ya no tuvo dudas sobre Salvador y, para que no vieran su desconcierto, se dirigió veloz hasta la puerta de salida, pasándole por un lado a los jóvenes. Una vez fuera del lúgubre recinto se dieron cuenta de que se encontraban en un aparcamiento feo, desolado, con potes de basura abandonados, era la parte de atrás del edificio. Rodearon la mole hasta llegar al frente, allí vieron a Tomás hablando con Judas que, justo en ese momento, los vio y levantó la mano en señal de saludo.

Se acercó a ellos y le dio un abrazo a Ana, mientras murmuraba sus condolencias. Luego saludó a Salvador e ignoró deliberadamente a Lucius.

—¿Cómo estás hijo? —le dijo con tono afectuoso al tiempo que lo le daba un abrazo y un par de palmadas en la espalda—. He pensado mucho en ti, en tu futuro, en cosas que luego hablaremos tú y yo.

—Yo también te he tenido presente en mis pensamientos, tío Judas —dijo Salvador con una ingenuidad que, después de la forma en que se había comportado, confundió tanto a Lucius como a los otros—. Cuando quieras conversamos —dijo con una sonrisa.

—Dalo por hecho —aseguró Judas y se dirigió a Lucius—. Necesito hablar contigo ahora, en privado —acotó lanzando una mirada al pequeño grupo que los acompañaba.

—No hay problema —dijo Ana—. Nosotros daremos una vuelta por la ciudad, queremos mostrarle a Salvador otros paisajes.

Salvador sonrió, pero no dijo nada.

—Sí, y aprovechamos para comer algo —dijo Tomás.

—Llévate la camioneta —le dijo Lucius a Tomás—. Yo iré con Judas.

Lucius le entregó las llaves del vehículo a Tomás. Luego fue con Judas hasta su automóvil.

***

Judas condujo unas cinco cuadras hasta un pequeño bar que se veía tranquilo. Se bajaron del auto y entraron en el local, buscaron una discreta mesa al fondo y pidieron un par de whiskies. Judas abordó el tema de forma directa y sin preámbulos. Lucius le contó la verdad.

—Es decir, llamaste a Marcelo porque el comportamiento de Salvador te asustó —dijo Judas después de guardar silencio unos minutos. Se veía desconcertado, incluso, la rabia que había mostrado al principio se disipó en seco.

—Exactamente —respondió Lucius—, te repito que yo nunca he creído en la autenticidad del Sudario, sabemos que ese lienzo pertenece a la Edad Media. Pero lo que he visto y vivido me asombra, es extraordinario.

—Hay algo que no encaja en la respuesta de Marcelo, si es así como lo cuentas, por qué tanta prisa por ver a Salvador —dijo Judas mientras se pasaba la mano por el rostro. Se veía cansado. Profundas ojeras le rodeaban los ojos—. Pedí a alguien de confianza que averiguara todo acerca del viaje de Marcelo y me enteré de que ni siquiera lo planificó. Es decir, pidió permiso a sus superiores para solventar un problema personal. ¿Por qué no les dijo la verdad? Sin embargo, alguien tiene que haber sabido qué se proponía hacer, y dio el pitazo, me cuesta creer que lo hayan tenido vigilado.

—También lo he pensado desde que hablamos esta mañana, es difícil creer que, como dices, Marcelo haya sido espiado. Salvo que conociera algún secreto, o estuviera en posesión de algo importante para el Concejo Científico —dijo Lucius con muestras de cansancio—. No sé, estoy imaginando locuras. No me hagas caso.

—¡Pero claro! —exclamó Judas. El Concejo Científico, ¿quién más metería las manos en esto?

—Un momento —dijo Lucius—. Ya te dije que no estoy bien, me siento agotado, en estas circunstancias soy dado a decir insensateces.

A Lucius Green le alarmó el matiz que estaba tomando aquel asunto. No podía imaginar, ni mucho menos creer que gente del Vaticano hubiese mandado a matar a Mazzini. Cuando estuvieron en la morgue un detective les presentó un informe con las experticias del accidente. Marcelo iba a exceso de velocidad, lo más probable era que, por cansancio, se hubiese quedado dormido y perdiera el control del auto. No había ningún misterio, ni espías ni asesinos, solo un fatídico accidente.

Allí estuvieron alrededor de dos horas, comieron algo, aunque Lucius no tenía apetito. Al salir se dio cuenta de que los guardaespaldas de Judas estaban allí. Ya le extrañaba que McLife estuviera solo. Judas le ordenó a uno de sus escoltas que llevara a Lucius hasta el centro comercial donde lo esperaban Tomás, Ana y Salvador.

A pesar de todo consiguió al grupo tranquilo. Ana tenía los ojos enrojecidos, se notaba que había llorado, pero estaba sosegada. Tomás se encontraba a su lado y Salvador veía unas vitrinas de ropa. Charlaron un rato, mientras tomaban café y comían un postre. Lucius se reservó todo lo concerniente a las sospechas de Judas, consideraba que aquellas dudas no tenían pie ni cabeza. Luego decidieron marcharse, todos se sentían exhaustos y querían ir al laboratorio. Llegaron al Complejo casi a las seis de la tarde, el cielo se veía cubierto de amenazantes nubes negras. La radio alertaba sobre una tormenta que llegaría en las próximas horas. Los sensores de emergencia se activaron. Los investigadores querían ver sus trabajos, a pesar de la aplicación en sus teléfonos que los alertaba al detectar cualquier cambio, preferían revisar sus tareas personalmente. Lucius halló a Mark en el laboratorio, que estaba revisando el tablero de electricidad de emergencia por si era necesario utilizarlo aquella noche. Intercambiaron unas palabras, luego el empleado se ofreció para llevar a Salvador hasta sus habitaciones. Lucius le agradeció el gesto, en verdad estaba rendido y deseaba ir a su casa.

Eran más de las ocho de la noche cuando abandonaron el laboratorio y se encaminaron hacia sus respectivas viviendas, estaban muertos de cansancio, necesitaban una ducha y dormir. Lucius les recordó que al día siguiente tendrían que ocuparse de agilizar todos los pormenores relativos a la inminente presentación, ya que Judas había decidido adelantarla. El equipo de Mefisto Genomics seguramente ya estaría afinando detalles de la logística.

Cerca de allí, un jeep avanzaba silenciosamente por un camino cercano al Complejo. En su interior, el conductor fumaba un cigarrillo tranquilamente. Al llegar al borde del bosque estacionó y se bajó del vehículo. En la parte trasera trasladaba algunas cajas. Luego sacó un bolso de deporte grande y pesado. Se lo terció y avanzó hacia el bosque de pinos.

Al llegar a un claro seleccionó un pino, se colocó un arnés y subió al árbol hasta alcanzar una posición paralela a una ventana de vidrio de la cocina del apartamento de Lucius que, a pesar de estar cerrada, permitía observar el recinto ya que no tenía cortinas. Apuntó una pequeña mira láser hacia el edificio del Complejo que daba exactamente en la puerta del refrigerador. Se puso cómodo y encendió otro cigarrillo.

Capítulo XI

Nunca estamos tan indefensos ante el sufrimiento como cuando amamos.

Sigmund Freud

Ana se había dado una larga ducha, una honda tristeza la embargaba. No tenía buenas relaciones con su padre, pero verlo destrozado en un depósito de cadáveres era más de lo que podía resistir. A su manera lo amaba y tenía la certeza absoluta de que él también la quería, se lo demostró de muchas formas, aunque no podían estar juntos mucho tiempo. Mientras se secaba el cabello fue hacia la cómoda, allí reposaba el pequeño estuche que le entregó el abogado de Judas McLife en la morgue. No lo había abierto, quería hacerlo en privado, era un regalo para ella. Se envolvió la cabeza con la toalla y tomó el pequeño paquete envuelto en papel de regalo con una tarjeta que llevaba su nombre, le quitó el papel y vio una funda azul celeste recubierta de silicona parecida a un estuche de *airpods*. Dentro solo contenía una placa rectangular imantada. La tomó con el índice y el pulgar y le dio la vuelta, en la parte posterior tenía grabada las iniciales de su nombre, y por la parte de atrás había sido diseñada con varias líneas quebradas, todas en relieve, además, tenía unos puntos, como si se tratase de un código.

Se quedó pensativa con el pequeño objeto brillando en sus dedos. Pensó en hablar con Lucius, pero una desconfianza irracional la detuvo. No supo explicarse ese sentimiento, no obstante, prefirió guardarse su hallazgo y sus dudas. En aquellos momentos no se sentía capaz de tener una discusión con nadie, y esa placa suscitaría muchas preguntas como ella misma se las estaba haciendo. Si su padre no le había hablado de ese regalo por teléfono ni la alertó sobre el contenido por un correo, fue porque no podía hablar de ello por esos medios. Entonces ¿sospechaba que lo espiaban? ¿Tendría los teléfonos intervenidos? ¿Por qué? Ana conocía el alto cargo que desempeñaba Marcelo Mazzini en el laboratorio del Vaticano, ella sospechaba que tenían otros centros secretos, pero su padre nunca le habló de eso. ¿Qué significaba aquello?

La chica se dejó caer en la cama y se recostó, todavía desnuda. Clavó la vista en el techo mientras elucubraba acerca de la repentina muerte de su padre. Lucius aún no le había dicho exactamente a qué se debía esa visita de Marcelo. Ella no le creyó la historia de que tenía una semana libre y pensó visitarla, eso no era propio de Marcelo Mazzini. Él había tenido muchas semanas libres a lo largo de sus años de servicio, pero siempre mantuvo una agenda privada de viajes. Si él hubiese querido verla sencillamente la habría llamado, como hizo las pocas veces que se comunicó con ella.

De pronto la puerta del dormitorio se abrió, Ana dio un salto y se incorporó rápidamente, Salvador estaba frente a ella, sonriéndole.

—¡Salvador! ¿Qué haces aquí? —balbució la chica con el corazón acelerado.

—Vine porque me llamaste —dijo, mientras cerraba la puerta tras de sí y avanzaba hacia la cama.

Ana no hizo ademán de cubrirse y Salvador cruzó el pequeño espacio que los separaba.

—¿Cómo saliste de tu departamento y cómo entraste aquí? —preguntó Ana, pensando que, quizá, Mark lo había ayudado a burlar los protocolos de seguridad para entrar y salir de las instalaciones de investigación.

—Eso no importa ahora —respondió Salvador rodeando con sus brazos el cuerpo desnudo de la muchacha. Suavemente la atrajo hacia sí y la besó. Ana respondió al beso con una fogosidad inusitada.

Afuera de la habitación, alguien escuchaba atentamente.

✳✳✳

Tomás Johnson estudió periodismo, especializándose en el área científica. Mientras hacía su especialización comenzó los estudios de biología molecular. Hizo una carrera brillante en corto tiempo. Hijo único de una pareja de investigadores científicos dedicados al ramo de la nanotecnología, contaba con una privilegiada posición económica que le permitía concentrarse en sus proyectos académicos sin tener ningún tipo de preocupación por los costos de sus carreras universitarias. Posteriormente realizó una especialización en células madre. Consideraba que, a sus treinta y seis años, había logrado lo que otros ni siquiera soñaban. Solo le faltaba conquistar el corazón de Ana. Desde que la conoció en ese mismo laboratorio cuando llegó allí para trabajar como asistente en un proyecto de células madre pluripotentes, se había enamorado de la joven doctora, pero ella era la mujer más esquiva que conocía. Al principio pensó que esa indiferencia se debía a la tormentosa relación que tenía con su padre. Marcelo Mazzini era conocido y respetado dentro del ámbito científico, sobre todo, por estar al frente del laboratorio del Vaticano, y algunos aspectos de su vida personal se hicieron del dominio público cuando su esposa se suicidó.

Aquella noche no dejaba de pensar en Salvador, a pesar de su estado de agitación cuando salieron hacia la ciudad, no se le pasó por alto que el joven se mantuvo muy cerca de Ana. Recordó cuando la abrazó en el momento que Lucius les dio la noticia sobre la muerte de Marcelo. Tampoco los perdió de vista durante las horas que estuvieron en la morgue, pero después de haber escuchado la conversación entre Lucius y Judas, ya no lo veía solo desde su perspectiva de hombre celoso; sino que ahora también lo observaba con una mezcla de curiosidad y dudas. No podía creer que ese ser fuera un clon del Hijo de Dios. Si fuera así se hubiesen dado cuenta de su naturaleza extraordinaria. Era cierto que varios hechos que se suscitaron en torno a Salvador eran extraños, como el cambio del clima y la conducta de los animales que lo siguieron por el bosque. Tenía claro que el joven por sí mismo era un suceso portentoso que rompía todos los parámetros de la normalidad, pero para él, para Tomás Johnson, Salvador era un experimento fisiológico, solo en el aspecto científico radicaba su insólita existencia.

La cuestión era que no se atrevía a llamar a sus amigos periodistas. Había pensado en la historia, sabía cómo contarla, pero un temor secreto le impedía pasar a la acción.

Ahora, mientras miraba desde su ventana la oscuridad silenciosa del bosque, se planteaba aquel acontecimiento desde un nuevo enfoque. En el aspecto amoroso, se dijo con ironía, sería imposible competir con semejante contrincante. En ninguna parte nadie había dicho que Él hubiese tenido rivales en el ámbito romántico. ¿Sería que los apóstoles no se dieron cuenta?, pensó, y una sonrisa cínica torció su boca. Un movimiento en la oscuridad llamó su atención, aguzó la vista y distinguió a Mark, que iba hacia el bosque. No le extrañó, él era un tipo raro, amable, servicial, pero a la vez esquivo e impredecible.

—Estoy pensando locuras —se dijo, y se apartó de la ventana para retirarse a dormir, pero en ese momento alzó la vista hacia el monitor de circuito cerrado y alcanzó a ver la vaga sombra de alguien que entraba al apartamento de Ana. Fue tan veloz que no pudo reparar quién era, aunque lo sospechó en el acto. Se quedó un rato observando la pantalla a ver si la persona salía, transcurrieron diez minutos y todo se mantuvo en absoluta calma.

Empezó a caminar por la pequeña estancia, se pasaba las manos por el cabello y el rostro mientras se maldecía por idiota. No podía creer que Ana estuviera en su casa con Salvador, porque era él, no tenía dudas, quién más. Mientras paseaba como un poseso no despegaba la vista del monitor, pero nadie había salido. Entonces se le ocurrió espiarla, tenía que salir de dudas. Sin pensarlo mucho buscó su iPhone, tenía una aplicación donde había guardado una foto de los ojos de Ana, la utilizaba para engañar al lector de retina y husmear en el apartamento de la joven. Se quitó los zapatos y salió en calcetines, corrió hasta la puerta del apartamento de Ana y, una vez allí, utilizó el truco que otras veces le había funcionado, esta vez tampoco lo decepcionó.

Entró sigiloso y en dos zancadas recorrió el pequeño espacio que conocía tan bien. Estaba en penumbras. Conteniendo la respiración se apostó frente a la puerta del dormitorio que estaba cerrada. Y cuando la escuchó gemir recordó a un animal en celo. Apretó los puños con fuerza, se le secó la boca y sintió que las sienes le iban a estallar. Pensó en tumbar la puerta a patadas y sorprenderlos, pero la razón cartesiana se impuso. En medio de la ira que sentía se dio cuenta de que si entraba y sorprendía a los amantes haría el ridículo, además de meterse en un gran problema legal por allanamiento de morada. Al fin y al cabo, Ana no era su novia, no al menos de forma oficial. Apretó la mandíbula con tanta fuerza que le dolieron los dientes, dos lágrimas resbalaron por sus mejillas quemándole la piel, entonces retrocedió lentamente y salió de allí.

—Así que la muy zorra se está acostando con el *Experimento* —se dijo mientras entraba a su departamento. Estaba temblando de rabia—. Debí sospecharlo, esos cariños y abrazos de hoy no eran solo por condolencias, ¡claro que no!, son amantes —dijo, y descargó un puñetazo en el mesón—. Tengo que calmarme —se dijo—. Así no puedo pensar, así no puedo hacer nada. ¡Maldita sea! Esa perra me ha usado solo cuando el nivel de su libido era incontrolable.

Se llevó un puño cerrado a la frente y cerró los ojos, se mantuvo así unos minutos, luego fue hasta un anaquel y buscó una botella de whisky que alguien le había regalado hacía tiempo. Él no era un bebedor, pero en esos momentos necesitaba tomar algo fuerte. Se sirvió un vaso y se tomó casi la mitad de un trago. El licor le quemó la garganta, tosió, respiró profundo y se tomó otro. No sabía qué le molestaba más, si el hecho de no haber logrado conquistarla o que ella no fuera la mujer decente que él había pensado y ahora terminaba en la cama revolcándose con un clon.

—Muy bien muchacho —se dijo retomando el hilo de sus pensamientos—, ya es hora de ponderar seriamente esta situación. La noticia puede darme más de lo que he imaginado en la vida, será el tubazo del siglo, el Vaticano tendrá que intervenir, quizá hasta negociar, porque las implicaciones éticas y morales lo involucran por los cuatro costados. Tendrán que hacerse cargo de su ADN divino, de su cloncito. A ellos menos que nadie les conviene que ese clon ande suelto por ahí, y Ana me las pagará completicas.

Tomás hizo un repaso mental de sus contactos, luego se sirvió otro whisky, se sentó frente a la computadora y comenzó a redactar la historia del Proyecto Simeón y su precuela: Salvador o Jesucristo clonado.

Capítulo XII

Solo hay un medio para matar los monstruos: aceptarlos.

Julio Cortázar

Eran las seis de la mañana cuando Lucius entró en la cocina, como de costumbre, pero ese día estaba oscura, la temperatura había bajado, y la radio anunciaba tempestad. Grandes nubarrones cubrían por completo el cielo y una densa neblina envolvía el bosque. Lucius, siguiendo su hábito matutino, fue directo al refrigerador, mientras veía con curiosidad que, en la puerta, parpadeaba un punto rojo. Cuando extendió el brazo para abrirlo vio con el rabillo del ojo un celaje que no le dio tiempo ni siquiera a voltearse porque se le abalanzó con tanta fuerza que, en un segundo, estaba rodando por el piso fuertemente sujeto por su atacante, al tiempo que un agudo silbido invadía la estancia. Quizá el impacto del proyectil o el roce de los dos cuerpos al caer hicieron tambalear la nevera y la bandeja que estaba encima, con algunos vasos, cayó al piso haciéndose añicos.

Por un momento, Lucius, tomado por la sorpresa, fue incapaz de reaccionar, pero trató de incorporarse y escapar de los brazos que lo apretaban por la cintura.

—¡Pero, qué!... —balbució aturdido.

—¡¡Chist!! Soy yo, padre —susurró Salvador—. No te levantes todavía.

—¿Qué significa esto, Salvador? —preguntó perplejo mientras se giraba y quedaba frente al chico.

Salvador aflojó el abrazo.

—Han tratado de matarte —dijo.

En ese momento Lucius fue consciente de lo que acaba de ocurrir. Por su mente pasó fugaz la imagen del punto rojo en la puerta del congelador y el sonido de un impacto contra el metal, seguido por el penetrante pitido del gas que, al salir, llenó la estancia; además de la entrada intempestiva de Salvador que milagrosamente lo había salvado. Un sudor frío comenzó a empaparle la espalda.

—Pero ¿quién? ¿Por qué? —logró articular con voz trémula.

—El mismo que ordenó la muerte del padre de Ana —dijo Salvador—. Me temo que todo esto es por mí —continuó—. Es evidente que si tú mueres otras personas podrían reclamar algún derecho sobre el resultado del proyecto.

Lucius pensó en Judas, era el único que tenía intereses económicos en esa investigación. Había invertido mucho tiempo y conocimiento, entre otros recursos, para adquirir y mantener un patrocinio constante con el fin de que el laboratorio no se detuviera ni un día. No tenía dudas de que Judas McLife vio en Salvador la oportunidad de lograr patrocinio ilimitado. Se sentó con dificultad, se pasó la mano por el cabello revuelto y vio al joven que también se había incorporado.

—¿Cómo sabes todo eso? —preguntó Lucius.

—No sé, quiero decir, no tengo una respuesta lógica. La información completa llega a mi mente de pronto con un impulso insólito de actuar. No es algo que yo piense o reflexione, ocurre en una fracción de segundo, no exagero, quizá el tiempo sea incluso menor.

Lucius lo miró sin saber qué decir. No tenía fuerzas ni motivos para dudar.

—Entonces estabas en tu cuarto cuando supiste que alguien me iba a matar y sentiste que tenías que correr hasta aquí para salvarme —dijo Lucius mirándolo fijamente a los ojos.

—Me hallaba en una duermevela cuando una fuerza insondable me impulsó a correr hasta aquí. No me dio tiempo a pensar, pero supe exactamente qué debía hacer y lo que estaba ocurriendo.

Lucius vio a su alrededor con aire distraído, en el piso se encontraban unas cuantas frutas y restos de pizza que ellos, en su caída, arrastraron desde la mesa.

—De acuerdo —dijo Lucius con voz ronca—. ¿Cómo saliste de tus habitaciones?

—Pensé que lo sabías —respondió Salvador—. Los técnicos que mandó el tío Judas para reforzar la seguridad, me hicieron una lectura de retina para insertar mis datos biométricos en su programa. Luego me dijeron que ya podía entrar o salir de mi apartamento.

—Pero ¿cómo es posible? ¿Por qué no me lo dijeron? ¿Quién estaba contigo ese día? —preguntó Lucius entre asombrado y molesto.

—Tomás, a él le tocaba guardia en mi apartamento —respondió Salvador—. Pensé que te había informado, él les dio la autorización a los técnicos.

Lucius sintió que la irritación que había estado sintiendo desde el día anterior amenazaba con explotar. Estaba molesto por la desagradable conversación con Judas, advertía el afán de este por mantener el dominio sobre un proyecto que ni siquiera conocía bien, solo sabía de dinero, financiamientos, inyección de capital, puro interés mercantil, y por su avaricia pretendía arrebatarle la victoria de su trabajo. Y el imbécil de Tomás, ¿acaso se creía con derecho a tomar decisiones en su laboratorio o estaba de acuerdo con McLife? Una duda comenzó a rondarle por la cabeza.

—Padre, debemos irnos, no es momento para pensar en el laboratorio —dijo Salvador como si hubiese leído el pensamiento de Lucius.

—¿Irnos? ¿Adónde? ¿Por qué? —preguntó confundido.

—Creo que no has entendido —le respondió el muchacho al tiempo que se levantaba del piso y ofrecía una mano a Lucius—, todos estamos en peligro. Volverán hoy mismo al ver que no estás muerto. Tienes tus cuadernos, esa es tu mayor fortuna, todo lo que necesitas ya lo tienes contigo.

—Bien, qué te parece si salimos a dar una vuelta fuera de la ciudad —dijo Lucius un tanto incrédulo y confuso—, de incógnito, claro, solo quiero tomarle el pulso a la situación, me gustaría despejarme un poco antes de tomar cualquier decisión radical.

—Te propongo una excursión hasta el laboratorio de la doctora Filo —dijo Salvador—. Si caminamos a través del bosque estaremos allí en una hora. Lleva tus cuadernos bitácora, los documentos y todo el efectivo que tienes guardado—acotó.

Aunque Lucius sabía que su pupilo tenía un elevado coeficiente intelectual, siempre lo sorprendía con razonamientos como ese, que demostraban un sentido de la orientación que Lucius no se explicaba cómo lo había desarrollado con una sola vez que fue al bosque. Además de saber qué elementos guardaba en su caja fuerte secreta. Sacudió la cabeza para alejar esos pensamientos que no le servían de nada en esos momentos y vio alrededor, le parecía mentira tener que dejar aquel sitio por el que tanto trabajó, pero supo que no tenía opción. Salvador le había demostrado que era un oráculo imbatible y no podía perder tiempo si quería salvar su proyecto y su vida. Afuera estalló una fuerte tormenta eléctrica, un rayó hendió el horizonte iluminando momentáneamente el rostro de Salvador. Un temor insondable estremeció al científico.

***

El doctor Green había seguido las instrucciones de Salvador. Antes de salir de su apartamento llamó a la secretaria y le dijo que el mecanismo de seguridad de las puertas principales estaba presentando un problema y no abrían, pero que se había comunicado con el equipo técnico y le prometieron que, apenas amainara la tormenta, saldrían para allá. Así que les pedía que no fueran esa mañana; prometió que les avisaría cuando el problema estuviese solucionado. Le rogó que le informara a los demás. La mujer le aseguró que, con ese tiempo, todos estarían agradecidos de quedarse en casa.

Luego salió de su apartamento seguido por Salvador que fue directo al de Ana, mientras que Lucius se dirigió al de Tomás. Al llegar comenzó a tocar el timbre, le extrañó que no abriera de inmediato como hacía siempre, luego vio la hora y pensó que quizá aún no se había levantado; entonces insistió, incluso golpeó la puerta con los nudillos, pero tampoco obtuvo respuesta. Sacó su teléfono y lo llamó.

—Aló —dijo Tomás que estaba en el baño con la ducha abierta.

—¿Dónde estás? —preguntó Lucius—. Yo estoy frente a tu puerta, abre, por favor.

—No estoy en casa —dijo resoplando—. Salí temprano a correr un poco.

—¿Con este tiempo? —preguntó Lucius incrédulo—. ¿Estás en el bosque?

—No, voy por la carretera. Aunque no lo creas este tiempo es perfecto para correr, ¿por qué? ¿Qué pasa?

—No puedo explicártelo por teléfono, pero necesito que vayas al laboratorio de la doctora Filo, nosotros vamos para allá.

Tomás se quedó atónito con aquella noticia.

—¿Pasa algo? —preguntó con cautela, e imaginó a Judas presentándose con sus abogados para buscar a Salvador. Sintió una gran alegría ante esa perspectiva.

—Esta mañana intentaron matarme —dijo Lucius con reticencia—, tengo serias razones para pensar que volverán por mí, o por todos nosotros, quiero estar fuera por si acaso, aún no sé qué puede pasar.

—¿Hablas en serio? —preguntó Tomás que ya no resoplaba.

—Totalmente —dijo Lucius—. Oye, nos vemos donde la doctora Filo, tengo cosas qué hacer —dijo Lucius con impaciencia y colgó.

Tomás salió del baño y pegándose de la pared del dormitorio, avanzó hasta la ventana y entreabrió una rendija de la persiana, se quedó allí viendo el patio trasero que lindaba con el bosque, siguió con la mirada la misma ruta que Mark había recorrido la noche anterior. ¿Qué le pasaba a Lucius? Seguro era algún cuento para evadir el compromiso con Judas, claro, ya no era el mismo científico abnegado, ahora tenía una mina de oro en sus manos y no era tan idiota como para soltársela a Judas McLife. El *Experimento* los haría ricos, y él, Tomás Johnson, sería el primero en cobrar su parte. Sonrió con desdén. Media hora más tarde los vio salir. Cada uno llevaba un gran morral en la espalda y un bolso cruzado. Estaban irreconocibles con chaquetas y botas de invierno, además de los impermeables. ¿Qué tramaría Lucius Green? En todo caso, a él ya no le importaba, en un par de horas abandonaría para siempre el laboratorio. Tenía una cita con el dueño de un prestigioso periódico. Para Tomás era sumamente importante, imaginaba el dinero en sus manos, una oleada de entusiasmo lo invadió.

***

Hacía una hora que el grupo se había internado por una estrecha vereda casi oculta en el espeso follaje del bosque. Los tres iban en silencio, no estaban acostumbrados a caminar tanto, menos bajo la lluvia; para colmo, esa marcha les había exigido más resistencia de la que suponían, sobre todo, porque en la primera parte del trayecto tuvieron que bordear un pantano y atravesar las ruinas de un olvidado cementerio hasta que, finalmente, remontaron la cuesta desde la que se veía una torre que se hallaba en la parte posterior del invernadero de la doctora Simonetta Filo. Iniciaron el descenso que los llevaría a su destino, cuando de repente una explosión sacudió la zona y todos voltearon al mismo tiempo hacia el laboratorio. Horas después se enteraron de que dos de los tres edificios del Complejo se derrumbaron en el acto. La onda expansiva estremeció toda la región.

Lucius se quedó mirando hacia el lugar donde estaba, o había estado, su laboratorio. Ese sitio que no solo fue su casa durante años, sino también el centro de su vida. Sintió deseos de llorar. No sabía qué decir ni qué hacer. Estaba estupefacto.

Ana se hallaba en la misma situación de Lucius. Momentáneamente quedó confundida y sin la menor idea de lo que estaba ocurriendo. Salvador le pasó un brazo por los hombros, mientras que con el otro halaba a Lucius hacia adelante.

—Vamos, no podemos quedarnos aquí —dijo, al tiempo que arrastraba a sus amigos.

Ana y Lucius obedecieron, de pronto tomaron consciencia de lo que estaba pasando y el miedo los invadió, la adrenalina disipó el cansancio y en poco tiempo llegaron al lindero del bosque. A unos quinientos metros de allí vieron el edificio que albergaba el laboratorio de la doctora Filo. Lucius pensaba entrar de una vez al lugar, pero se sorprendió una vez más, cuando Salvador le pidió que permanecieran ocultos entre los árboles y llamara por teléfono a su amiga. Le dio unas breves instrucciones, y el doctor Green, a pesar de su aturdimiento, logró entender lo que se proponía el joven. Primero, era imprescindible que le hiciera un somero recuento de lo sucedido a su amiga, sin aportar detalles, y se asegurara de que no había nadie extraño en el área de investigación ni en los invernaderos. La idea era pedirle ayuda para poder salir de allí. Por suerte la lluvia había amainado y solo caía una llovizna pertinaz, los árboles los protegían un poco.

Lucius llamó a Simonetta, que daba gritos de alegría al saber que estaba bien. Le dijo atropelladamente que desde el aparcamiento vieron las llamas inmediatamente después de la explosión. También dijo que se estaba preparando para salir hacia allá. Lucius tuvo que alzar la voz para hacerse escuchar, pues la mujer no dejaba de hablar y, sin ceremonias, le preguntó si había alguien más aparte del personal habitual. Para alivio de todos, la doctora Filo les dijo que solo ella y dos empleados de confianza estaban allí. La tormenta impedía el paso hacia esa zona. Lucius no perdió tiempo y le pidió que fuera sola hasta la parte trasera del invernadero, hizo hincapié en la discreción. Simonetta le aseguró que iba volando hacia allá y colgó.

Al verlos cubiertos con impermeables que chorreaban agua, Simonetta se detuvo en seco, no reconoció a Lucius, quien avanzó hacia ella y esta no tuvo miramientos en abrazarlo. Era evidente que estaba feliz de verlo sano y salvo. Luego él la llevó aparte y estuvo hablando con ella unos cinco minutos. Salvador y Ana los miraban aprensivos.

El doctor Green le contó brevemente el porqué de su huida. Ella lo miró incrédula, aquello era tan irreal, que en otras circunstancias se hubiese reído, pero ante los eventos aciagos ocurridos esa mañana, no pudo menos que estremecerse.

—Pero no acabo de entender por qué te persiguen y quieren matarte —dijo ella con voz angustiada.

—Mientras menos sepas, mejor —le respondió Lucius tomándole las manos—. No puedo decirte más nada, al menos por los momentos, ahora necesito que nos ayudes a salir de aquí —dijo con mirada suplicante.

—Pueden quedarse aquí —dijo ella—. Hay un sótano que solo pocos conocemos.

—No, es peligroso, te pondríamos en peligro. Queremos alejarnos de aquí cuanto antes.

—Comprendo —dijo Simonetta—, tengo una idea, puedes llevarte la camioneta de Miros, el chico del vivero, me pidió que se la guardara aquí porque están remodelando el local. Es casi imposible que venga hoy por estos lados. Puedes llegar con ella hasta la gasolinera, le pediré a Billy, el mecánico, que te lleve la mía, que justamente está en su taller. Él es un tipo discreto y muy servicial, sé que no habrá problemas con eso.

***

Veinte minutos más tarde Lucius, vestido con un sucio overol y un gorro de lana, asqueroso, cubriéndole la cabeza, conducía una vieja pickup de doble tracción, con una cabina descubierta y llena de plantas. Cualquiera que se topara con él, pensaría que se trataba de un obrero. Simonetta les dijo que no había paso por la carretera que llevaba a los laboratorios y a la ciudad, pero podían tomar un atajo. Lucius no lo conocía, ya que en realidad era una vía ilegal utilizada por cazadores furtivos que un viejo obrero le había mostrado hacía años. Cuando la bióloga quería recortar camino, iba por esa peligrosa ruta.

Debajo de un manto encerado, Ana y Salvador se ocultaban soportando cien bolsas con plantas de invernadero que cubrían el compartimiento de atrás de la camioneta. Mientras tanto, Lucius iba concentrado en el camino irregular y se aferraba al volante como si temiera que se le soltara. Llevaba unos guantes mugrientos, por algunos orificios dejaban ver unas uñas sucias. La doctora Filo insistió en que se las frotara con un poco de clorofila, luego le pidió que escarbara en la tierra. Después le dio un paño para que se limpiara. La idea era que las manos quedaran como las de un trabajador del vivero. El resultado fue estupendo. La densa neblina dificultaba el trayecto, pero los potentes faros hendían el velo blanquecino. Estaba pensando en la siguiente parte del plan cuando llegaran a la ciudad. Le había rogado a Simonetta que guardara aquel encuentro en el más absoluto secreto, ahora temía que le sucediera algo. Presentía que su perseguidor no le daría tregua.

Capítulo XIII

La existencia no es más que un episodio de la nada.

Arthur Schopenhauer

Tomás, amparado por las sombras y por las persianas, se quedó observando sigilosamente desde la ventana cómo la pequeña comitiva salía de las instalaciones del Complejo y se internaba en el bosque, caminaban rápido a pesar de la lluvia. Llevaban ropa de invierno, e impermeables sobre los grandes morrales. Él sonrió al verlos en esa extraña excursión. Cuando desaparecieron de su vista salió de su escondite y se desperezó. Se observó en el espejo y alzó los pulgares en señal de que todo marchaba bien.

Sobre la cama estaba una maleta abierta a medio hacer, se movió rápido por el cuarto y terminó de recoger sus enseres personales. Consultó su reloj, miró hacia el baño y pensó en darse una ducha, pero decidió dejarlo para cuando estuviera instalado en su hotel de la ciudad. La huida se le había dado mejor de lo que pensara. Durante la noche maquinó la forma de salir del laboratorio sin que lo vieran arrastrando la maleta, y pensó en dejarla hecha. Lucius era fiel a su rutina mañanera, la cumplía como si fuera un ritual. Al salir de su departamento iba directo al de Salvador y le llevaba el desayuno. Casi siempre Mark o Ana, a veces los dos, lo acompañaban una hora, aproximadamente, antes de iniciar sus labores. Tomás había rogado que ese día Ana estuviera con Lucius y el *Experimento* para poder salir corriendo hasta el estacionamiento. Sin embargo, pensó, el destino quiso que la salida fuera en paz. Incluso, le daba tiempo de pasar por su cubículo, en el laboratorio, y buscar su equipo fotográfico. En un primer momento pensó en dejarlo, pero dadas las circunstancias, nada le impedía llevárselo.

***

A pesar de saber que estaba solo en el Complejo, Tomás salió veloz de su apartamento, tomó el ascensor y, al llegar a planta baja, corrió hasta el estacionamiento. La lluvia había cesado un poco, no obstante, el paraguas chorreaba. Llegó hasta su auto y guardó la maleta y el bolso en la parte de atrás, luego, se dirigió corriendo hasta el laboratorio. Al entrar se detuvo, indeciso. Alguien había encendido todos los fluorescentes y la luz bañaba de un blanco enceguecedor toda la estancia. Se quedó inmóvil, su instinto le decía que saliera de allí, pero al notar que todo estaba silencioso y no había ningún movimiento, se arriesgó a seguir.

Cuando abrió la puerta de su cubículo se dio cuenta de que el silencio era total porque las campanas de ventilación estaban apagadas. Se alarmó. Las palabras de Lucius atravesaron como un flash su memoria, y un corrientazo de adrenalina le sacudió el cuerpo cuando vio en el monitor de seguridad que un hombre encapuchado, y con un rifle, además de un par de pistolas en el cinturón, vigilaba la puerta de la oficina del genetista que estaba abierta.

Obedeciendo a un impulso sacó su iPhone y rápidamente buscó el documento más reciente que tenía, con manos temblorosas pulsó varias teclas hasta que fue enviado. De inmediato, agarró el bolso con su equipo fotográfico y salió veloz hacia la puerta mientras mandaba una nota de voz a alguien.

—Nos buscan para matarnos —dijo con voz atropellada—. Hay hombres armados en el laboratorio. Los vi en la oficina del doctor Green. Están buscando al *Experimento,* es por él que nos buscan. Es por su...

Tomás no pudo terminar la frase. Una ráfaga le atravesó la espalda. El asaltante caminó hacia el cuerpo que había quedado tendido en el piso a unos metros de la puerta. Sacó una pistola y le disparó en la cabeza. Luego agarró el teléfono que Tomás aún aferraba en su mano y salió; otros hombres se le unieron en el estacionamiento. Iban encapuchados, vestidos con uniforme de camuflaje negro y armados. Al salir se dividieron en dos grupos y cada uno se subió a una camioneta Ford Ranger negra, que Tomás en su carrera no vio. Quizá si las hubiese visto su historia hubiera sido otra, o tal vez no... Tomás no era creyente del instinto de supervivencia.

Los vehículos se alejaron raudos. Quince minutos después una explosión voló el laboratorio y el edificio donde estaban las viviendas del equipo científico.

Capítulo XIV

*El gran hombre es como el águila: halla el castigo de su
grandeza en la soledad de su alma.*

Stendhal

La operadora de emergencias salió a la plataforma del helipuerto y pudo ver a lo lejos una tupida cortina de humo
con matices verdes y morados a su alrededor. A los pocos
minutos se escucharon las sirenas de los bomberos que se desplazaban a toda velocidad hacia el lugar de la detonación.

Un helicóptero recibió instrucciones de dirigirse hasta la
zona del desastre. De inmediato se activó la alarma en la agencia
nacional de energía nuclear, porque en el Complejo se almacenaba un pequeño reactor sacado de funcionamiento desde hacía
años. El piloto comenzó a transmitir.

—Ranger 1 a base, cambio.

—Aquí base, Ranger 1, reporte estado de la situación.

—Hubo una explosión que removió la mitad superior del
Complejo. Hay despojos por todas partes, pinos carbonizados
y restos esparcidos por el perímetro. También un olor extraño
bastante fuerte, creo que puede ser algún químico, cambio.

—¿Algún sobreviviente?, cambio.

—No detectamos a nadie, aunque es prematuro para dar ese veredicto; dada la magnitud de la explosión, no creo que haya ninguno, cambio. Solo...

—Repita mensaje, cambio.

—Se observa un resplandor y manchas verdes y moradas alrededor del edificio, en la neblina y el ambiente, cambio.

—Ranger 1, esas manchas pueden ser originadas por agentes químicos. No aterrice ni se acerque al lugar sin el debido traje de protección. Los bomberos pueden facilitarle uno.

Luego la comunicación se escuchaba terrible y se cortó. Otros helicópteros sobrevolaban la zona. El piloto observó que la unidad contra explosivos se había desplegado y estaba acordonando la zona. El lugar se iba llenando de grupos policiales, bomberiles, reporteros y curiosos que eran replegados por la policía. Una fina llovizna caía sin cesar.

***

Judas no había dormido bien, algo usual en él que, desde la muerte de Leticia, comenzó a sufrir un insomnio que amenazaba con convertirse en crónico. Por suerte, el tratamiento al que se había sometido dio buenos resultados procurándole un sueño continuo, no era profundo, pero sí lo suficientemente reparador para no colapsar. Sin embargo, durante esa noche se despertó varias veces recordando el rostro de Salvador; hubo un momento en la madrugada en que sintió la presencia del chico en la habitación. Se dijo que el estrés lo estaba matando, además, le debía una visita, y se propuso ir al laboratorio al día siguiente. Él se sentía mejor durante el día, en plena vigilia, era consciente de que su adicción al trabajo, en parte, respondía al miedo de dormir y tener pesadillas, sobre todo, aquella recurrente donde moría Leticia.

Ese día se levantó temprano, como de costumbre, y fue el primero en llegar a su despacho, a pesar del clima; aunque en la ciudad la tormenta no era fuerte, el frío, la niebla y una lluvia pertinaz mantenía las vías colapsadas. Se sirvió una taza de café y marcó el número de teléfono del apartamento de Lucius, sabía que su amigo era madrugador, por eso le extrañó que no respondiera. Lo llamó a su oficina, luego al celular y después comenzó a marcar todos los que tenía registrados en su teléfono. Al no obtener respuesta se fue poniendo nervioso, trató de tranquilizarse al ver que a su oficina aún no había llegado nadie porque todavía era temprano. Pensó que, quizá, el vendaval había ocasionado daños a las líneas telefónicas de la zona donde se hallaba el laboratorio.

Entonces encendió la televisión con la esperanza de que las noticias reportaran alguna avería en las líneas, pero su sorpresa fue mayúscula cuando comenzó a ver las imágenes que transmitían desde lo que había sido el Complejo. Judas no salía de su estupor, con el mando en la mano y la boca abierta estuvo inmóvil alrededor de tres minutos. Una parte de su cerebro lo impelía a moverse, debía actuar, pero ¿qué iba a hacer? Judas McLife era un hombre acostumbrado a tener el control de todo. Pocas veces se había encontrado en una situación que lo dejara impotente, como cuando perdió a Leticia. Ese recuerdo fue como un motor que lo hizo moverse de inmediato. Tiró el mando al piso y corrió hasta la puerta, la abrió y miró hacia el desolado pasillo, luego regresó en dos zancadas al interior de su oficina, dio unas vueltas alrededor del escritorio, se pasaba las manos por el cabello, volvió a fijar la vista en la pantalla, pero no entendía lo que decía aquella voz. Respiró profundo y se esforzó por recobrar la calma, necesitaba pensar. De pronto agarró su teléfono y llamó a Brandon, su piloto, que lo atendió en el acto.

***

Contra todo pronóstico, las autoridades dejaron pasar a Judas hasta el mismo lugar de los hechos. Cuando Brandon lo escuchó tan alterado no se le ocurrió decirle que, por el clima, era una locura salir. Él había volado en diferentes circunstancias, era su trabajo, pero no le gustaba retar al destino. Sin embargo, al escuchar la voz trastornada de su jefe, salió veloz hacia el edificio donde estaban sus oficinas que, por fortuna, se hallaba en la misma zona en la que vivía. Al llegar se apresuró a seguir a Judas hasta la azotea, donde había un helipuerto con un helicóptero de Mefisto Genomics, siempre listo por si debía salir de emergencia, como en aquella ocasión. Brandon jamás lo había visto tan desquiciado, tenía una parte de la camisa fuera del pantalón, la corbata torcida, estaba despeinado y hablaba sin parar del accidente. Se preguntaba por Salvador, maldecía a Lucius y al Vaticano, y a su teléfono que en ese momento no agarraba cobertura. Brandon iba concentrado en su ruta, el temor que sintió al principio se fue desvaneciendo una vez en el aire. Por un raro evento atmosférico, la ruta aérea frente a él se abría clara, salpicada de una llovizna que brillaba con los destellos de una luminosidad que no supo de dónde salía. Él iba atento, pero no dejaba de escuchar los desvaríos de su jefe. Cuando se estaban acercando al área del suceso, por fin Judas logró comunicarse con George Bellow y, sin dejarlo hablar, le ordenó que averiguara absolutamente todo acerca de aquella catástrofe.

Brandon temía que no lo dejaran pasar, pero no solo se lo permitieron, sino que nadie, ni policías ni bomberos, ni ninguno de los cientos de funcionarios que se hallaban en el sitio, le impidieron aterrizar en el mismo lugar donde se hallaban otros helicópteros oficiales.

Judas saltó de la aeronave, apenas esta se posó en el suelo, y salió corriendo hacia el sitio donde había estado el laboratorio cuando fue interceptado por un oficial. Estuvo a punto de caer cuando intentó frenar para no estrellarse contra la voluminosa figura del policía, que lo sujetó con una gruesa manaza.

—¿Doctor McLife? —dijo al tiempo que retiraba la mano del hombro de Judas.

—Sí —respondió este con expresión interrogante.

—Soy el teniente Peter Philips, estoy a cargo de la investigación —dijo el hombre extendiéndole una mano que Judas estrechó de inmediato—. Sé su nombre porque lo he visto en la televisión —dijo mientras señalaba hacia el helicóptero de Mefisto Genomics, como si fuera el de un canal televisivo—. ¿Usted es el dueño del laboratorio?

—No —respondió Judas—. Era del doctor Lucius Green, mi socio y amigo —dijo, pero al darse cuenta de la expresión de desilusión del teniente, rectificó, por nada del mundo quería que lo sacarán de allí—. Como le dije, el doctor Green y yo somos socios, he hecho una gran inversión en el laboratorio —dijo haciendo un ademán con el brazo como si quisiera abarcar aquella zona llena de escombros con ese gesto—. ¿Hay sobrevivientes? —preguntó sin disimular su ansiedad.

—Hasta ahora solo hemos encontrado un cuerpo —dijo el teniente mientras revisaba una carpeta que llevaba en la mano—.

Según el carnet de conducir que cargaba encima, se trata de Tomás Johnson —dijo y cerró la carpeta—. ¿Lo conocía?

—Sí —dijo Judas sintiendo que la angustia lo invadía—. Era uno de los asistentes del equipo del doctor Green.

—¿Podría reconocer el cuerpo? —preguntó el teniente.

—Sí, seguro —dijo Judas—, pero me gustaría acercarme para ver si han hallado a alguien más —dijo señalando el área que permanecía acordonada y llena de rescatistas vestidos con trajes de protección—. Por cierto, ¿por qué llevan ropa protectora? —preguntó intrigado.

—Porque se reportó un color morado y verde rodeando la zona, y como no sabemos con qué químicos trabajaban, debemos tomar precauciones, aunque no se han detectado radiaciones de ningún tipo —respondió el teniente—, y el galpón donde está el reactor no sufrió ningún daño —dijo señalando el lugar donde se hallaba el depósito.

Judas vio en la dirección que indicaba el teniente, pero ya se había dado cuenta cuando se acercaba en el helicóptero. Al ver las ruinas del laboratorio y del edificio que habitaban los científicos, no tuvo dudas de que la gente que hizo aquello quería cerciorarse de que no hubiera sobrevivientes, además de pulverizar hasta el último tubo de ensayo. Judas pensó en el baño de órganos, en los años de investigación y el inmenso capital invertido.

—Es extraño lo que dice acerca de los colores que reportaron —dijo Judas—. Conozco todos los elementos con los que se trabajaba aquí y estoy absolutamente seguro de que ninguno produciría esos efectos.

—Pues es así doctor —dijo el teniente—, cuando llegamos aquí esto parecía una aurora boreal, hay muchas fotos que han hecho los muchachos y algunos periodistas.

—De acuerdo, habrá que averiguar qué lo produjo —dijo Judas—. ¿Y entonces, teniente, nos acercamos? —preguntó.

—No es necesario cruzar el área. Aún no han encontrado nada más —dijo—, allí hay tres cuadrillas de rescatistas levantando escombros, si consiguen algo me lo informarán en el acto, como le dije antes, yo estoy a cargo de la investigación.

Judas se quedó mirando al teniente Philips con expresión desolada. Se sentía impotente, en ese momento ni su dinero, ni el poder, ni su conocimiento le servían de nada. Tuvo la misma sensación de desamparo que había sentido cuando perdió a Leticia. Quería saber qué había sucedido realmente, dónde estaban Salvador y Lucius. Eso era lo único que le interesaba.

—¿Tiene alguna idea, por disparatada que le parezca, del porqué ocurrió una explosión de esta dimensión en su laboratorio? —preguntó el teniente.

—Debe haber sido sabotaje —dijo Judas con ganas de dejar hablando solo a ese policía idiota que debería resolver el caso en vez de hacerle preguntas estúpidas—. Lucius, es decir, el doctor Green estaba haciendo un trabajo que iba a revolucionar la ciencia.

—¿De qué se trataba? —preguntó el teniente Philips.

Judas se pasó una mano por el cabello y trató de hacer acopio de sus modales diplomáticos. Tenía la certeza absoluta de que ese tipo no entendería la propuesta de la organogénesis. Jamás tuvo madera para profesor, y para colmo ahora tendría que explicarle a un policía imbécil la sofisticada labor que se realizaba en aquel laboratorio. Tomó aire y se disponía a responder cuando un joven oficial se acercó a ellos corriendo.

—Teniente —dijo el chico jadeando— llegó el jefe Campbell. Está en la carpa y quiere verlo.

Peter Philips miró a Judas y luego al joven oficial, como si le costara tomar una decisión.

—Doctor McLife, por favor, espéreme —le dijo—. Quiero saber qué experimento estaban haciendo aquí, o si prefiere venga con nosotros hasta la carpa.

—No, por favor, lo esperaré aquí —dijo Judas.

—Está bien —dijo—, quiero que sepa que esta conversación no es un interrogatorio. Solo quiero tener toda la información posible, y usted es la única persona que nos puede ayudar en esto —dijo mientras echaba a andar seguido por el joven oficial, en dirección a una carpa que funcionaba como un cuartel improvisado.

Judas se quedó viéndolo mientras se marchaba y sopesando la idea de acercarse hasta la zona del desastre. Vio el perímetro precintado y se dijo que, al menos, podía intentarlo. Comenzó a caminar hacia allí cuando su teléfono le vibró en el bolsillo de la chaqueta. Lo sacó y atendió de inmediato. Era su jefe de Operaciones de Seguridad.

—Aló —dijo Judas.

—Doctor —respondió George Bellow—, acabamos de constatar que el doctor Lucius Green llamó a su secretaria a las seis y dieciocho minutos de esta mañana, para decirle que no fuera al laboratorio porque el mecanismo de seguridad de las puertas se había desconfigurado. Le dijo que los técnicos irían en el transcurso de la mañana, y le prometió llamarla apenas el problema estuviera solucionado. Ella, por instrucciones del doctor Green, le avisó a todo el personal.

Judas escuchó el reporte sin interrumpir, luego se dio cuenta de que estaba conteniendo la respiración. Sintió que un gran peso se le quitaba de encima.

—Perfecto, perfecto —dijo pasándose la lengua por los labios resecos—. Voy para la oficina, nos veremos allí —acotó antes de cortar. Miró a su alrededor, a lo lejos divisó al teniente llegando a la carpa, y comenzó a caminar con paso rápido hacia el helicóptero. Brandon, que lo había visto, entró velozmente a la aeronave. Acostumbrado a las carreras de su jefe, siempre estaba alerta para despegar. Apenas Judas subió al aparato él comenzó a maniobrar para salir de allí.

***

Judas llegó a su despacho y encontró a todo el personal expectante, pero él entró sin hablar con nadie. El departamento de seguridad había apostado varios hombres en el piso donde se hallaban sus oficinas particulares para impedir el paso a cualquiera que no estuviera autorizado, incluso a empleados que trabajaban allí, pero en otras áreas. La compañía Mefisto Genomics ocupaba un edificio completo de siete pisos, y en esos momentos estaba custodiado por un equipo de seguridad privada. En la entrada se arremolinaban periodistas al acecho del doctor McLife o de autoridades cercanas a él.

Judas le ordenó a su secretaria que no le pasara ninguna llamada, a excepción de Lucius Green. La secretaria lo miró con expresión interrogante, pero no se atrevió a preguntar nada. Solo asintió antes de que su jefe cerrara con un portazo.

En su oficina lo estaba esperando George Bellow. El televisor estaba encendido, en la enorme pantalla Led se veían imágenes de las ruinas que quedaban del laboratorio. Una profunda consternación invadía a Judas.

Los dos hombres de inmediato se enfrascaron en una conversación. Estaba claro que la idea era acabar con el laboratorio y su personal. Había motivos de sobra, Judas sabía que cualquier empresa de seguros, incluso, hasta alguna farmacéutica pudo haber acabado con aquella simiente de órganos listos para trasplantes sin riesgo de rechazo, y a un costo por debajo de los que manejaban los hospitales en la actualidad. Sin embargo, tenía la certeza de que aquella catástrofe estaba relacionada con la muerte de Marcelo y con Salvador. Experimentó un alivio al saber que Lucius, de alguna manera, fue alertado y le dio tiempo de escapar, ahora él tenía que encontrarlo.

De pronto se sintió exhausto, la magnitud de los hechos lo rebasaban. Se levantó de su poltrona y fue a servir café, no había desayunado, pero tampoco tenía ni pizca de apetito. Al volver con las dos tazas, George Bellow le señaló hacia la pantalla, y Judas vio que interrumpieron las imágenes para dar paso a una escenografía de estudio donde se hallaba Raymond Murdoch, un reconocido magnate dueño de varias estaciones de radio, canales y productoras de televisión, y media docena de periódicos. Judas se puso alerta.

El hombre se presentó, como si nadie lo conociera, luego, con expresión solemne expresó su rechazo hacia acciones violentas como la ocurrida en el laboratorio aquella mañana. Se extendió unos minutos haciendo hincapié en su solidaridad como ciudadano y ofreció su apoyo a los científicos afectados por el monstruoso acto. Luego dijo que, a las ocho y siete minutos de esa mañana, había recibido un correo y una nota de voz de su amigo y colega Tomás Johnson. El mensaje, que reproduciría en unos minutos, era una angustiosa pedida de auxilio. Dijo que lamentaba la situación, pero, como comunicador y ciudadano, su deber era dar a conocer aquella declaración. Acto seguido se reprodujo el audio.

Judas sintió que se hundía en la poltrona. El audio, con la voz de Tomás quebrada por el miedo, era un conmovedor grito de auxilio, la llamada desesperada de quien sabe que no tiene salida; también era una denuncia: «nos están matando, es por el *Experimento*». Judas supo que se refería a Salvador. No fue fácil asimilar la parte final del audio en la cual la voz de Tomás era cortada por una ráfaga de balas que, a todas luces, lo había asesinado.

La periodista, sin perder tiempo le hizo otra pregunta al empresario de medios.

—Señor Murdoch, antes usted dijo que había recibido un correo, ¿es de la misma persona que mandó el audio?

—Sí, así es. Lo recibí unos segundos antes de que entrara la nota de voz.

—¿Puede decirnos de qué trata ese correo?

—En el correo el doctor Johnson cuenta con detalles la historia de un experimento que, lamentablemente, ha desembocado en esta tragedia. En la edición vespertina impresa de nuestro Diario, se reproducirá completo el contenido del archivo.

—Entonces tenemos que esperar unas cuantas horas para enterarnos de la primicia.

—Sí, así es, pero créame, el relato que van a leer bien vale la pena.

El jefe de Operaciones estaba hablando, pero Judas no le prestaba atención, se encontraba absorto en sus pensamientos. Siempre supo que Tomás no era un hombre de fiar, por eso le dijo a Lucius que no confiaba en sus asistentes. Tampoco le gustaba la doctora Ana. Le parecía una mojigata. Ella podía pasarle información a Marcelo, pudo ser una espía del Concejo Científico del Vaticano. Ahora quedaba claro que no se había equivocado, por lo menos con respecto a Tomás. La traición saltaba a la vista. Él no se creía el cuento de la historia que mandó por correo a un magnate de la comunicación. No, estaba seguro de que Tomás le había vendido esa información a Raymond Murdoch. Tenía que encontrar a Lucius, y sintió que para hacerlo debía conectarse mentalmente con Salvador. Sentía un extraño y poderoso vínculo con el chico. Luego sonrió y recordó el versículo del Evangelio de Juan: «Nadie viene al padre sino por mí.».

Capítulo XV

Al nacer, lloramos porque entramos en este vasto manicomio.

Shakespeare

Lucius había conducido durante unos noventa minutos por aquella maltrecha carretera. Su pensamiento saltaba de un tema a otro. Al principio pensó que Judas era el culpable, pero luego recapacitó y se dio cuenta de que era una idea arbitraria sin ningún fundamento. Lo hizo cegado por la rabia y el miedo. Al reflexionar sobre aquel nefasto hecho, no halló ni una sola razón para que McLife quisiera destruir el laboratorio. Esa conclusión le hizo recordar su advertencia con respecto al Vaticano. Lucius se maldijo por no prestarle atención y por no dominar sus impulsos. Si no hubiese llamado a Marcelo, nada de esto estuviera pasando ahora. Cuando habló con Judas en el restaurant el día que se encontraron en la morgue, pensó que su temor era que el Concejo Científico exigiera sus créditos por el resultado del experimento y pidiera una participación en las ganancias. Ahora se estrellaba contra una realidad aterradora que le demostraba su equivocación. Judas McLife era un hombre de negocios con un olfato especial para oler riesgos y una gran intuición. Eso siempre lo había sabido, entonces ¿por qué no le hizo caso? Le dio un manotazo al volante.

Por primera vez en su vida tenía miedo. Dentro de treinta minutos estaría en la estación de servicios que le indicó Simonetta, si todo salía bien, y rogaba porque así fuera, al mediodía estarían rumbo a la frontera y de ahí a Estados Unidos. Una oleada de ansiedad lo invadió. La incertidumbre lo aplastaba. Jamás en su vida imaginó que se vería envuelto en semejante aventura. Pensó en Tomás, ¿llegaría al laboratorio de la doctora Filo? No tenía manera de saberlo y esa imposibilidad le producía una angustia enorme. Por indicaciones de Salvador apagaron los teléfonos después de hacer la llamada a Simonetta, así que tendría que esperar sus noticias. A lo mejor el hombre con quien se iba a encontrar en la gasolinera tenía alguna novedad. Tampoco consiguió a Mark, aunque por él no se preocupó ya que Salvador le dijo que la noche antes había salido a meditar en el bosque. El joven, al ver su expresión interrogante, se apresuró a explicar que Mark hacía meditaciones allí, y prefería la noche porque no había riesgo de que alguien lo molestara. Le dijo que, cuando estaba meditando, olvidaba por completo el clima y entraba en una suerte de trance. Lucius no discutió esa idea descabellada, como lo hubiese hecho en otras circunstancias. Se sentía demasiado aturdido con lo que estaba ocurriendo para dudar de una meditación en medio del bosque bajo una terrible tormenta.

Volvió a pensar en el cuerpo maltrecho de Marcelo. En el cambio que se fue operando en el comportamiento de Salvador después de la primera prueba al aire libre. ¿Qué ocurriría? Desde esa primera salida la metamorfosis fue rápida. De ser un chiquillo en el cuerpo de un joven veinteañero, se convirtió en un hombre con una capacidad de liderazgo que francamente lo abrumaba. Él era su creador, pero ahora recibía las órdenes de su pupilo sin ponerlas en tela de juicio. Si no hubiese sido por él, ahora estaría muerto y enterrado en las capas de escombros del edificio.

Salió del bosque, dejó atrás la inhóspita región y tomó la carretera asfaltada que lo llevaría hasta la estación de servicios donde lo esperaría el mecánico de Simonetta.

Cuarenta minutos después entró al enorme estacionamiento de la gasolinera. Ya no llovía y la neblina arropaba el lugar. Lucius se dijo que la niebla lo favorecía. Echó un rápido vistazo alrededor y constató que estaba prácticamente vacío. Divisó un par de camiones frente al establecimiento, que contaba con un restaurant y un pequeño supermercado. En el extremo donde se ubicaban los baños vio una Land Rover blanca. Condujo despacio para estacionar al lado de la camioneta. Sin apagar el vehículo se bajó, recogió los morrales y los bolsos que llevaba en el puesto del copiloto, y fue hasta la cabina. Abrió la compuerta, dos bultos comenzaron a escurrirse veloces hacia él mientras las plantas caían desordenadamente. Un hombre se apeó de la Land Rover y subió a la pickup. Salvador y Ana salieron de debajo del encerado y cerraron la compuerta. Sin perder tiempo se subieron a la otra camioneta. Lucius ya estaba al volante y comenzó a retroceder para abandonar el sitio. Vio que la pickup también iba saliendo, pronto estaría en el garaje del invernadero. Lucius tomó la carretera y se incorporó al poco tráfico que había esa mañana. La operación se había realizado en unos cinco minutos y no era probable que alguien los hubiese visto. Si todo seguía así, al día siguiente estarían en la frontera. Respiró profundo y vio el marcador de la gasolina, el tanque estaba lleno. Se estremeció al recordar que hasta ahí llegaba la ayuda de Simonetta, a partir de ese momento tenían que arreglárselas solos. Como si le hubiese leído el pensamiento, Salvador le dijo que la próxima parada debía ser en una ciudad.

—¿En una ciudad? —preguntó Lucius incrédulo— pero si nos estamos ocultando, ¿cómo vamos a pasearnos en medio de un gentío?

—Precisamente, para pasar desapercibidos debemos mezclarnos con mucha gente —dijo el joven, que se había sentado en el asiento trasero de la camioneta, al lado de Ana—. Por ahora no nos buscarán en sitios concurridos, irán a pueblos y lugares más deshabitados.

—Entonces, ¿busco una ciudad para hacer la próxima parada?

—Exactamente, necesitamos comer, asearnos un poco y cambiar nuestro aspecto.

—¿Disfrazarnos? —preguntó Lucius escéptico.

—Yo no diría tanto como disfrazarnos —dijo Salvador con una sonrisa, mientras él y Ana comenzaban a quitarse los impermeables y las chaquetas—. Solo vamos a modificar un poco nuestra apariencia. Ellos buscan a un hombre cincuentón, un joven de cabello negro y una chica rubia.

—De acuerdo —dijo Lucius contento de no tener que pensar en estratagemas, nunca fue bueno para eso. Conducía con la mirada fija en la carretera preguntándose hasta cuándo soportaría esa existencia clandestina.

Mientras se quitaban las empapadas prendas, Salvador y Ana discutían acerca de qué tipo de cambio podían hacerse.

—Cualquier cambio de apariencia comienza por el cabello —dijo Salvador—. Lo vi en una película.

—De acuerdo —dijo Ana—. No tengo problema en cortarme el cabello y teñirlo. ¿Qué opinas Lucius?

—Yo voy por el corte de pelo —respondió—, ni de casualidad me lo teñiría.

—Está bien —terció Salvador—. Yo prefiero cortarlo y, quizá, teñirlo. En tu caso —continuó, dirigiéndose a Lucius—, puedes completar el cambio con unos lentes y, por supuesto, con otra ropa.

Lucius emitió un gruñido, estaba cansado y por lo visto tendría que aguantar otra tanda de aventuras. Además, estaba preocupado por la doctora Filo.

—Okey, buscaré lentes y una vestimenta que no se parezca a mí —dijo con sarcasmo—, y un teléfono público, necesito hablar con Simonetta.

—Podemos comprar teléfonos desechables —dijo Ana.

—¿Eso existe? —preguntó Lucius interesado.

—Por supuesto —respondió ella—, este país está lleno de esos aparatos. Son prácticos, te puedes comunicar con quien quieras y es imposible rastrear la llamada porque esas líneas quedan confundidas con miles de números anónimos. Se recargan por tarjetas prepago, además puedes navegar y mantenerte al tanto de las noticias. Tienen sistema manos libres para usarlo mientras conduces.

—¡Estupendo! —exclamó Lucius con un toque de emoción en la voz—. Entonces vamos a cambiar nuestro aspecto y a comprar los teléfonos. ¿Algo más?

—¡Sí! —exclamó Ana— tenemos que comer, me estoy muriendo de hambre.

—Claro, claro —dijo Lucius.

—También es necesario cambiar de carro —dijo Salvador—. Esta camioneta pertenece al laboratorio de la doctora Filo, pueden reconocerla por la matrícula.

—No había pensado en eso —dijo Lucius evidentemente consternado.

—Por ahora no hay peligro —continuó Salvador—, pero lo mejor es dejarla en un sitio seguro, como el estacionamiento de un centro comercial, y alquilar dos carros.

—¿Dos carros? ¿Para qué? —preguntó Lucius exasperado.

—Porque nos están buscando —respondió Salvador con voz tranquila, pero firme—. Si andamos juntos es más fácil que nos localicen, pero si nos desplazamos separados en dos carros se les dificultará la pesquisa. Recuerda que buscan a tres fugitivos, no a dos ni a uno. Tú irás en un auto, Ana y yo en otro, además, con un buen cambio de *look* podremos llegar a nuestro destino sin dificultad.

—Supongo que tienes razón —accedió Lucius—. Entonces vamos a planificar todos los detalles para no perder ni un minuto en el centro comercial. Ya nos estamos acercando a la ciudad, y mañana al mediodía debemos estar en Nueva York.

***

Tres horas después, desde un Optra plateado, Lucius vio acercarse a una pareja. Él y ella iban tomados de la mano, se detuvieron al lado de la camioneta y la chica fingió que se anudaba las trenzas de las botas, mientras el muchacho veía con disimulo a su alrededor. Desde donde se hallaba accionó el control remoto y quitó la alarma. El breve pitido, acompañado por el chasquido de los seguros, indicó a los jóvenes que podían abrir el automóvil. Ambos se movieron con agilidad y sacaron velozmente los bolsos y morrales que llevaban en la parte de atrás, luego caminaron rápido hacia un jeep verde oscuro que estaba estacionado a unos cien metros de allí.

Si Lucius los hubiese visto en la calle no los hubiera reconocido. Ana se había cortado el cabello y lucía una alborotada melena teñida con un degradado violeta, fucsia y rosado. Se había puesto un pircing en la nariz, otro en el labio y varios en cada oreja. Vestía de negro, con mallas, botas altas y una chaqueta violeta con grandes rosas rojas y negras. Salvador llevaba una cresta impresionante en colores pasteles, parecía una guacamaya. También iba vestido de negro, con un cinturón lleno de cadenas y púas. Lucius no salía de su asombro. Pensó que les sobraba creatividad y audacia. Lo más radical que a él se le ocurrió fue sacrificar su mata de pelo castaño, de la que sentía tan orgulloso. Se rasuró la cabeza y compró unos lentes con montura cuadrada de pasta negra que le daba un aspecto intelectual. En cuanto a la ropa, se decantó por una combinación de camisa marfil, corbata negra, chaleco a cuadros ocre con líneas negras, y una chaqueta y pantalones de cachemira marrón. Era un estilo que odiaba. Jamás se había vestido así, por eso pensó que era un disfraz perfecto, pero al ver a Salvador y a Ana, ya no estaba tan seguro.

Cuando llegaron al estacionamiento del centro comercial, cuatro horas antes, la pareja se apeó primero y salió veloz hacia uno de los ascensores. Lucius esperó unos minutos y se dirigió hacia otro elevador. La idea era que no los vieran juntos. Sabía que aquel sitio contaba con muchas cámaras de seguridad, pero confiaba en que nadie se fijara en ellos. Lucius le dio a Ana dinero suficiente para que comprara lo que hiciera falta. Acordaron que, como Lucius se quedaba con las llaves de la camioneta y sería el primero en abrirla al regresar, debía dejar el número de su teléfono desechable en el morral de Salvador, quien lo llamaría para que así quedara grabado el nuevo número que utilizarían para comunicarse. Ana se encargaría de manejar hasta la próxima parada.

Salvador le pidió que no llamara a Simonetta hasta que hubiesen cruzado la frontera. Le aseguró que ella recuperaría su camioneta en perfecto estado. Le advirtió que sus teléfonos podían estar intervenidos porque mucha gente conocía la relación entre ellos, así que allí sería el primer lugar por donde comenzarían a buscarlos. Lucius hizo un esfuerzo para no llamarla cuando compró el nuevo aparato, recordó las precauciones de su pupilo y pudo contenerse a tiempo. Ahora, con las llaves en la mano, esperó a que el jeep saliera, luego fue hasta la camioneta y dejó el suiche en la guantera. Supuso que Simonetta tendría un juego de llaves de reserva. Después regresó al Optra, lo puso en marcha y salió disparado de aquel lugar.

Estaba ansioso por recibir la llamada de Ana y Salvador, necesitaba intercambiar sus impresiones con ellos. Durante el tiempo que estuvo en el centro comercial realizando su misión, vio el alboroto en la barbería y en el restaurant donde comió algo. Estaba seguro de que los jóvenes también conocían ya la situación. Muchos locales tenían las pantallas de sus televisores encendidas, menos en la tienda donde compró el traje, que lo atendía una pareja de ancianos lánguidos. En la televisión no dejaban de transmitir las imágenes de laboratorio, cosa que lo conmocionó. Afortunadamente estaba en una mesa al fondo y nadie vio sus lágrimas de rabia, impotencia y dolor por lo que representaba aquella pérdida. Allí mismo se enteró de la muerte de Tomás Johnson, pero no le dio tiempo a reaccionar porque la reportera hizo un resumen de las noticias de la mañana y se extendió en la primicia de Raymond Murdoch. Lucius maldijo al biólogo y deseó que se pudriera en la última paila del infierno.

Capítulo XVI

A la vida le basta el espacio de una grieta para renacer.

Ernesto Sábato

Eran las 12:30 minutos de la tarde cuando Judas McLife llegó a su casa. Le fue imposible regresar en auto. Cientos de periodistas lo esperaban en las puertas de Mefisto Genomics, todas las entradas estaban rodeadas por una jauría de reporteros con cámara y micrófonos. Después de ver la intervención de Raymond Murdoch, sintió que la oficina lo oprimía. Necesitaba salir de allí, no se creía capaz de aguantar hasta la una de la tarde para leer la primicia que el magnate de los medios de comunicación había ofrecido en su entrevista de la mañana. Llamó a Brandon, y le pidió que lo llevara a casa, la única forma de salir de la empresa fue en helicóptero. Cuando la aeronave se alzó sobre el edificio, Judas se asomó y vio que los periodistas miraban hacia arriba, mientras que otros tomaban fotografías y algunos enfocaban las cámaras que estaban transmitiendo en vivo. Les hizo un corte de mangas y después se acomodó en su asiento.

La enorme parcela donde se ubicaba su residencia estaba protegida por una valla metálica colosal, rematada con alambre de púas. Además de vigilantes y un sistema de seguridad que recordaba a un cuartel militar. En su casa, Judas se sentía mucho más seguro. Se había llevado a Michelle Stevenson y a una asistente personal, y le pidió a George que siguiera investigando el laboratorio y delegara una comisión que se encargara de rastrear a Lucius y sus acompañantes. Apenas llegó a su residencia, recibió una llamada de George.

—Jefe —dijo Bellow con su acento nasal— tenemos el registro de las últimas cuarenta y ocho horas que hizo el circuito cerrado del laboratorio.

—¿Cómo lo conseguiste? —preguntó Judas sorprendido, mientras recordaba las ruinas del laboratorio.

—Quizá ahorita no lo recuerde —dijo George con diplomacia—, pero hace una semana, cuando se reactualizó el sistema de seguridad del laboratorio del doctor Green, usted nos pidió que hiciéramos una conexión remota del circuito cerrado a un servidor externo que lo manejamos nosotros.

—¡Vaya! —exclamó Judas entusiasmado— sí que lo había olvidado, excelente noticia, George, gracias, dime cómo hacemos para ver eso ya.

—Se lo acabo de enviar por email en un archivo encriptado, como los de siempre.

—Perfecto, perfecto —dijo mientras corría hacia su despacho—. Mantenme informado, George —dijo y cortó sin esperar respuesta.

El equipo de seguridad de la empresa había desarrollado un software de encriptación solo para el uso interno y particular de Mefisto Genomics, era un método seguro que utilizaban con frecuencia. Judas escuchó la voz de Michelle hablando por teléfono con alguien de la oficina, mientras entraba a su despacho como una bala, cerró la puerta y se sentó frente a la computadora. De inmediato fue a su correo y halló el archivo que le enviaba George Bellow. Lo descargó impaciente.

***

Había sido un largo día. Alrededor de las siete de la noche, Judas, con un whisky doble en la mano, pensaba que le costaría reponerse de los impactos recibidos aquel día: la noticia que salió en el Diario, uno de los periódicos de Raymond Murdoch, lo devastó, así como la traición de Lucius le produjo una profunda decepción, aunque en el fondo lo comprendía y no le guardaba rencor, lo admiraba, pero jamás volvería a confiar en él. El otro golpe fue la explosión del laboratorio que convirtió una promesa multimillonaria en cenizas. No le importaba la cuantiosa pérdida material, porque estaba asegurado, así como todo lo que contenía, además tenía dinero propio y ajeno, ya que contaba con acceso a créditos y conocía suficientes inversionistas dispuestos a subvencionar la construcción de un nuevo laboratorio. Lo afligía, realmente, la destrucción de los experimentos, no podía dejar de pensar en el baño de órganos, que estaban casi listos. Pensaba en el trabajo y en el esfuerzo realizado en cada ensayo, el tiempo invertido en la observación, en cada hora dedicada a investigar hasta los detalles ínfimos de una célula madre diferenciada para que pudiera funcionar. Rehacer todo aquello no solo requería años y tesón, sino también de un genio como el de Lucius Green, alguien con quien Judas no volvería a trabajar nunca más.

Se tomó un trago de whisky y sonrió con amargura. Estaba claro que Lucius había robado parte de la muestra que

Marcelo Mazzini le dio. Era evidente que este fue tan ingenuo como el mismo Judas y confió en la honestidad del científico. Lucius Green siempre dio la impresión de ser un tipo entregado a su trabajo, poco sociable, escrupuloso y egótico, pero jamás deshonesto, aunque como científico era natural que se sintiera tentado por esa maravilla. ¿Cómo fue que el doctor Mazzini y su equipo no supervisaron más el trabajo que hacía el genetista?

En su mensaje final, Tomás cuidó los detalles de su historia y el mundo supo de dónde había salido la muestra que dio origen al proyecto denominado la Molécula de Turín. Explicó las diferentes fases del proceso y describió el resultado, sin omitir el extraño comportamiento de los animales cuando Salvador se hallaba cerca de ellos, además del cambio del clima y la forma cómo había sanado al doctor Green tras una aparatosa caída en el laboratorio en la que se partió la barbilla e hirió una mano. Decía que él pudo ver aquella sanación prodigiosa porque ese día el joven se encontraba con él y de pronto salió como una exhalación de su apartamento, no había ni una puerta cerrada, algo increíble ya que el sistema de seguridad funcionaba a la perfección. Tomás pudo seguirlo y desde la puerta del laboratorio particular del doctor Green vio todo, aunque luego se ocultó. También aclaró que los ovocitos no eran de la doctora Ana, como Lucius quiso dar a entender en ciertas ocasiones. Tomás, gracias a sus contactos, se enteró que fueron comprados a una clínica de fertilidad asistida, es decir, que los óvulos pertenecían a una mujer anónima, y sospechaba que la información genética para completar el espectro pertenecía al mismo Lucius. Naturalmente, hizo hincapié en el carácter ilícito de la terapia experimental.

Judas escuchó aquello en silencio, acusó el golpe con dignidad, mientras veía la pantalla, sabía que Brandon, Michelle y la asistente lo miraban de reojo, él no movió ni un músculo. Cuando se dio cuenta de que ya no había nada más del correo de Tomás y de que aquello se convertiría en un espectáculo, se levantó del sofá del salón, donde estaban reunidos, y se alejó sin pronunciar palabra. Sus empleados también guardaron silencio hasta que desapareció por un pasillo que conducía hacia las escaleras. Comprendieron que iba al piso superior de la casa, una zona privada a la que no tenían acceso.

Judas McLife, aunque sumido en un aturdimiento que se prolongaba con las horas, se dirigió a sus habitaciones con paso firme y mirada tranquila. Años atrás había aprendido a dominar sus demonios, con voluntad férrea y carácter indomable. En momentos como aquel buscaba refugio en el recuerdo de Leticia. En realidad, nunca había dejado de pensar en ella, no pasaba un día sin recordar su rostro, su sonrisa, sus palabras, momentos que vivieron juntos. A veces se sorprendía preguntándose qué diría Leticia de esta ropa, o de aquella comida, de algún vino o evento, de cualquier cosa. Era en esos instantes cuando su muerte le dolía más que nunca y deseaba él mismo estar muerto o perder la razón para que su ausencia no le doliera tanto.

Guardaba en su mente el recuerdo desde que la conoció, como vendedora de pizza, trabajo que hacía mientras estudiaba diseño industrial. A pesar de los años, jamás pudo olvidar la imagen de su cabeza en el asfalto húmedo cuando era cubierta con una sábana. Otro recuerdo que lo mortificaba era evocar que, a duras penas, pudo arreglar los documentos de la funeraria, gastando casi hasta el último centavo de su cuenta bancaria. Ella no tenía dinero, ni había designado a ninguna persona para ser notificada en caso de muerte. Solo un telegrama de condolencia de Lucius lo reconfortó en esos momentos de desesperación.

En ese instante hubiera matado por estar con ella nuevamente, pensaba mientras abría el clóset y sacaba un bolso de viaje con pertenencias de Leticia. Él las había tomado de su apartamento antes de abandonarlo para siempre. Guardó aquel bolso como un tesoro, era el único vínculo que le quedaba con ella. Allí conservaba sus fotografías, la última bufanda que había usado y los guantes; su perfume que impregnaba con cada prenda, el álbum, su llavero, el monedero, la novela que estaba leyendo aquel día, y otros efectos que acariciaba en silencio, con los ojos cerrados mientras aspiraba su perfume y se abstraía de la realidad.

De pronto creyó escuchar gritos, frenos de automóvil, un alarido y un fuerte golpe que lo sacó del ensueño. Dio un respingo y, con la adrenalina inundándole el cuerpo, se puso de pie. En un segundo fue consciente de que solo había tenido otro de esos episodios que lo perseguían desde que Leticia fue arrollada. Respiró profundo y, con manos temblorosas, comenzó a recoger todo con cuidado, luego lo envolvió como estaba para guardarlo en la parte posterior del closet. Mientras depositaba el bolso en el lugar de siempre, recordó que durante años estuvo tomando sedantes para dormir, pero incluso con ese procedimiento las pesadillas no desaparecieron del todo. Todavía, en ciertas noches, regresaban para atormentarlo. Temía que sus viejos terrores emergieran en aquella ocasión una vez más.

***

Por su parte, George Bellow había destinado una comisión de detectives para rastrear a Lucius y sus acompañantes, sin embargo, a pesar de la pesquisa desplegada, era poco lo que sabían del grupo. El mismo Bellow examinó cada una de las imágenes que grabaron las cámaras del exterior del Complejo y, cuando se percató de la dirección que tomaron, no tuvo dudas de que iban hacia el laboratorio de la doctora Filo. George Bellow conocía muy bien el lugar y sus alrededores. Le gustaba supervisar personalmente el área y las instalaciones que debía proteger. El laboratorio era uno de los lugares que le encargó el doctor Judas McLife, y desde hacía cuatro años lo vigilaba y resguardaba.

Ese mismo día fue hasta el laboratorio de Simonetta, pero el lugar estaba prácticamente vacío, solo un par de empleados se encontraban revisando unos experimentos, pero no supieron darle noticias de la doctora. Le dijeron que trataron de comunicarse con ella en varias oportunidades, pero no tuvieron éxito. Bellow les dejó su tarjeta y les rogó que lo llamaran si sabían algo de ella. Hizo hincapié en que era un asunto de vida o muerte para la doctora Filo.

A las cinco y media de la tarde uno de los detectives encontró la camioneta de la bióloga en el centro comercial, la había rastreado desde la gasolinera más cercana al bosque, por donde intuyó que Lucius pudo haber escapado. Perdió cuatro horas en aquel sitio viendo las grabaciones que fueron registradas desde la una de la tarde hasta las cuatro. Según sus cálculos, era imposible que Lucius hubiese llegado al centro comercial antes de esa hora, a menos que hubiera ido en helicóptero.

El detective se sintió frustrado al no poder detectarlos en ningún área del centro comercial, tampoco vio en qué auto se marcharon porque, misteriosamente, todas las cámaras de ese nivel permanecieron apagadas durante toda la tarde. Él comenzó a sospechar del jefe de seguridad que, como si le leyera el pensamiento, le aseguró que esa situación era insólita; jamás había sucedido algo semejante ya que las cámaras funcionaban perfectamente bien. El hombre se veía consternado, y el detective se dijo que si estaba mintiendo era un actor de primera. Entonces pensó que el doctor Lucius Green había resultado ser más astuto de lo que imaginaron. Pensó que, quizá dejó la camioneta allí y se largó, con su grupo, por la salida del estacionamiento quién sabe para dónde.

Por un instante tuvo la fugaz sensación de fracaso. Algunas veces le había ocurrido, era una percepción profunda y momentánea, pero que nunca fallaba. Hizo un esfuerzo por sacudirse esa idea y se puso en contacto con George Bellow, a quien le hizo un reporte de lo ocurrido. Este ordenó a los otros investigadores que se unieran y, a partir del centro comercial, iniciaran una razia en hoteles de los alrededores, y fueran abriendo el perímetro hasta las carreteras que conducían hacia la frontera. Bellow trató de comunicarse de nuevo con la doctora Filo, pero tampoco logró nada, no respondió sus teléfonos ni dio señales de encontrarse en su casa ni en el laboratorio.

—Es como si se los hubiese tragado la tierra —le dijo George a Judas cuando este salió de sus habitaciones al final de la tarde y lo buscó en el salón, que estaba siendo utilizado como teatro de operaciones—. Los muchachos desplegaron un operativo especial en toda la zona y las inmediaciones. Peinaron el circuito y no hallaron nada, en estos momentos se dirigen hacia las carreteras aledañas que conectan con la frontera, no creo que sean tan tontos para tomar la vía principal. De cualquier modo, esa vía también la tenemos cubierta, por si acaso.

—¿Qué se sabe de Simonetta? —preguntó Judas con la desagradable sensación de que, pese a sus esfuerzos, la situación se le estaba escapando de las manos.

—No hemos podido localizarla —dijo George con cautela—. Si salió del laboratorio o de su casa, ha utilizado alguna vía que no conocemos, porque dejamos a un par de hombres apostados cerca de esa zona y no la han visto. Lo más probable —continuó Bellow al ver que su jefe guardaba silencio— es que se haya escondido por miedo a sufrir algún atentado como en el caso de Lucius.

Judas cambió el tema, en realidad Simonetta Filo no le interesaba, quizá ayudó a escapar a Lucius, pero no era factible que supiera dónde estaba. El científico había demostrado suficiente astucia como para creer que le dejaría información comprometedora a su vecina y amante. Interrogarla no era más que parte del protocolo, por si acaso, pero más nada.

—¿Tienes el resto de las grabaciones del circuito cerrado? —le preguntó a George. En la mañana únicamente había recibido los segmentos grabados con la entrada de los intrusos, que identificaron como un equipo táctico de mercenarios. Debía ser algún módulo privado.

—Sí, ya le dejé todo el material en su despacho —afirmó George, contento de dar al menos una buena noticia en aquel ambiente opresivo.

Los dos vieron varias veces la grabación en la que un grupo de ocho hombres fuertemente armados irrumpía en el laboratorio. Iban vestidos de negro, con pasamontañas y guantes. No pudieron ver cómo se las ingeniaron para abrir la puerta principal porque uno de ellos al llegar apuntó su fusil de asalto directo a la cámara y la voló. Sin embargo, una vez adentro, no se preocuparon por las cámaras, estaban seguros de que no quedaría ni una columna en su sitio, por supuesto, ignoraban que esas imágenes iban a un servidor externo.

Judas y George observaron la rapidez de varios hombres para moverse por el laboratorio, buscar en los archivos de Lucius, mientras los otros colocaban los explosivos allí y en el edificio donde vivían los científicos. Percibieron su desconcierto al no encontrar a los científicos en ninguna de las estancias. Vieron a Tomás entrar, notaron su nerviosismo y el momento en que manipuló rápidamente su iPhone, Judas tuvo la certeza de que fue ahí cuando mandó la información a Raymond Murdoch. Luego observaron el instante en que uno de los mercenarios, que se encontraba en la oficina de Lucius, lo vio en el monitor de seguridad que había allí, y salió de inmediato para ajusticiarlo. En doce minutos realizaron su trabajo y salieron apresurados. Quince minutos después se vio un resplandor verde seguido de otro morado, de inmediato un chispazo y todo quedó negro.

***

Alrededor de la cinco de la tarde el Vaticano envió a un nuncio con el pronunciamiento del papa. Fue tan breve como la incursión del grupo mercenario en las instalaciones del laboratorio, pero de igual forma, devastador. En el comunicado, el sumo pontífice le recuerda al mundo que, tanto la concepción como el nacimiento de nuestro Señor fueron acontecimientos de orden divino, la mano del hombre no tuvo ninguna participación, menos el instrumental de un laboratorio.

Tanto Judas como George Bellow y Michelle, coincidieron en que al enviar un emisario el papa estaba mandando un mensaje claro a toda la comunidad: el asunto no revestía ninguna importancia, más allá de una noticia mediática que lo obligaba a fijar posición.

Tres horas después del lacónico pronunciamiento del Vaticano, hubo un corte violento en la trasmisión que estaba haciendo la televisión y aparecieron varios sujetos encapuchados, que se identificaron como miembros del grupo fundamentalista cristiano "El Redentor". El portavoz asumió la responsabilidad del acto que acabó con el laboratorio como protesta ante el poder secularizador de la ciencia.

Hubo un *blackout,* luego apareció una aturdida periodista tratando de desmenuzar aquella nueva noticia. La aparición del supuesto grupo radical se veía tan improvisada, tan teatral, que pocas personas se lo creyeron. Desde la mañana no dejaban de dar informes referentes al laboratorio y las consecuencias de un acontecimiento tan espectacular con un ser divino fugitivo, y ahora, un grupo terrorista irrumpiendo en pleno estudio. La noche prometía ser larga. Judas fue hasta la cocina y le pidió a su cocinero que preparara una suculenta cena para sus invitados. Él, que había perdido el apetito, de pronto sintió mucha hambre.

Capítulo XVII

*Yo vengo de alturas que ningún ave ha sobrevolado
jamás, yo conozco abismos en los que todavía no se
ha extraviado pie alguno.*

Friedrich Nietzsche

Todo había ocurrido tan rápido que Lucius Green tenía la sensación de estar en un sueño, más de una vez, mientras conducía por esa autopista que se le hacía interminable, jugueteó con la idea de que despertaría de pronto en su apartamento, seguramente se había quedado dormido. Sin embargo, un bocinazo, un aviso vial, o recordar que estaba huyendo hacia la frontera, lo regresaban a la realidad. Al mismo tiempo que se desplazaba raudo, no dejaba de reprocharse su estupidez. No podía negar que aquel desastre comenzó con la maldita llamada que le hizo, en mala hora, a Marcelo Mazzini. Era innegable que el muy imbécil le contó todo al Concejo Científico, y este lanzó a sus perros de caza para apoderarse de Salvador y de los cuadernos. Después de rumiar las palabras de Judas, y vincular el extraño accidente donde perdió la vida el mismo Marcelo, con el intento de asesinato que sufrió la mañana antes, más las imágenes de su laboratorio hecho polvo, tuvo la certeza absoluta de que había cometido un error imperdonable al confiarle a Mazzini el resultado de su investigación.

Ahora, consciente de que su esquema racional había estado recibiendo un impacto titánico durante las últimas veinticuatro horas, trató de hacer un recuento de los sucesos ocurridos desde el momento en que tuvo la idea de clonar al hombre que fue cubierto con el Sudario de Turín. Mientras seguía, a cierta distancia al Renegade que conducía Ana, se esforzó en dilucidar las implicaciones que su comportamiento había ocasionado. La principal, y la más dolorosa, era el agravio moral causado a su amistad con Judas. Sabía que este nunca le perdonaría su traición, su deuda con Judas McLife era moral, es decir, impagable. Con el mundo científico tenía un conflicto ético por realizar una clonación reproductiva, pero con toda la trascendencia que ese hecho contenía, a Lucius, en realidad, le importaba un comino lo que pensara el medio en el que había sido testigo de canalladas e hipocresías de dimensiones colosales.

—Pero… ¿por qué tanta violencia? —se preguntó con el ceño fruncido. Era una pregunta que se hacía una y otra vez, hasta que comenzó a sospechar que Marcelo, tal vez, le ocultó algo que el Concejo Científico sí sabía. ¿Qué podía ser? Él ignoraba de dónde había sacado la muestra del Sudario que le dio para que hiciera las pruebas. Sabía que el Vaticano las mantenía selladas a cal y canto, pero nunca preguntó nada. Ahora se arrepentía de haber sido tan discreto, debió interrogar al idiota Mazzini.

A medida que se acercaba a su destino sentía un creciente temor y el pulso se le aceleraba. Mediante la aplicación Uber solicitó un automóvil para trasladarse a Estados Unidos, y el chofer los esperaría en Saint Catharines. Le asombró lo sencillo que resultó, él jamás había utilizado ese servicio, fue Ana quien lo propuso y a él le pareció magnífico. Tanteó para encender de nuevo la radio del auto, lo había apagado porque todas las noticias eran acerca de la explosión del laboratorio, además de otros disparates que salieron a colación.

Para Lucius, los periodistas vinculaban esos temas de forma irresponsable para obtener un buen rating, nada más. Gracias a esas trasmisiones supo que miles de personas estaban tratando de cruzar la frontera hacia Canadá, decían que la fila de autos era descomunal. Él pensó que, dada la contingencia, era factible que no les prestaran atención al salir. No obstante, le mortificaba el cariz que estaba tomando la situación. Se hablaba mucho de una supuesta estrella, como la de Belén, y una alineación de planetas, la misma de hace dos mil años que anunció el nacimiento del Mesías. Había un gran revuelo porque, según varios comentaristas, mucha gente había visto animales envueltos en un resplandor con tonos verdes y morados. La noche anterior, cuando llegó a la recepción del hotel, vio que unos botones y las camareras se hallaban reunidos viendo la enorme pantalla ubicada en un ángulo del salón. Atendían la poca clientela de esa hora con aire distraído. Lucius preguntó qué ocurría y todos lo observaron como si hubiese dicho una palabrota.

—Amigo, ¿en qué planeta vive? —le preguntó la encargada mientras le daba la llave de la habitación— debería ver las noticias. Todos esperan que algo suceda. Ayer estuve en la frontera y vi la cantidad de turistas que están entrando, los funcionarios no se dan abasto para atender tanta gente. Han restringido el paso de entrada, solo está funcionando el canal de salida, pero incluso por ahí querían ingresar al país.

—Supongo que quieren ver la estrella y la alineación esa de la que se habla —dijo Lucius tratando de mostrarse indiferente.

—Ninguno sabe exactamente qué vienen a ver —le aseguró la mujer—, pero afirman que una fuerza los atrae a este país siguiendo la estrella.

—¿Y qué es eso de los animales con manchas?

—No son manchas —lo corrigió ella—, al principio se creyó eso, pero luego explicaron que es un aura que los envuelve, dicen que esos animales fueron los que murieron con la explosión; pero no es oficial, son reportes de periodistas que han logrado infiltrarse en el área. Los bomberos se encerraron en un hermetismo desde el día de la explosión y no dicen nada de ese tema —dijo la mujer con un tono decepcionado.

Lucius se encaminó hacia su habitación cuando la encargada se concentró de nuevo en la pantalla y lo ignoró. Lo bueno era que su disfraz era perfecto, nadie lo había reconocido a pesar de que su foto aparecía en un recuadro de la televisión, junto con la de Ana y la de Salvador. La información que le dio la mujer no le aportó nada nuevo, esas especulaciones eran las mismas que estuvo escuchando todo el tiempo que condujo con la adrenalina sacudiéndole el sistema nervioso.

Miró la hora en el reloj del tablero, en veinte minutos deberían estar en Saint Catharines. Se sintió inquieto al pensar en la frontera, el problema con los documentos allí sería otro, no tenía alternativa sino mostrar los verdaderos; lo angustiaba que Salvador no tuviera ninguno legal. Unos meses atrás él le hizo un carnet como trabajador del laboratorio, para que tuviera una credencial. La coartada que tenían era decir que el chico perdió la ropa y los documentos en un robo del que fue víctima mientras esperaba a su novia. Lucius sabía que era un pretexto endeble, pero Salvador le aseguró que todo marcharía como una seda.

Sin embargo, sintió que la ansiedad lo asfixiaba, se aflojó la corbata y se mantuvo alerta. Estaba inquieto, Ana lo llamó aquella mañana, alterada, para contarle que Salvador había hecho un milagro. Dudó al pronunciar la palabra, luego aclaró que eso fue lo que dijo la dueña del hotel donde pasaron la noche. Lucius le pidió que le contara qué había pasado exactamente y Ana le relató todo, sin omitir ningún detalle. En la medida en que fue hablando, notó que su pulso recobraba la normalidad y poco a poco se calmó.

—Recordé aquella conversación que tuvimos en tu apartamento el día que Judas nos visitó en el laboratorio —dijo Ana, y Lucius supo que no podía seguir mintiéndole, no era justo después de todo lo que ella había arriesgado por él y su proyecto—. Creo que hay algo que no me has contado.

—Tienes razón —dijo Lucius después de una pausa—. Me avergüenzo por ello, Ana, te prometo que te diré todo en la primera oportunidad que tenga.

Ella se mostró conciliadora y le dijo que en ese momento lo más importante era salir de Canadá, y le dejó ver que estaba preocupada. Si la mujer del hotel relacionaba ese hecho con los sucesos referidos por televisión, advertiría que eran los fugitivos del laboratorio, como los llamaron algunos periodistas que, capciosos, se preguntaban dónde estarían y por qué huyeron. Si aquella señora se le ocurría comentar el supuesto milagro de Salvador, los podrían localizar de inmediato. Ana se negaba a creer que de verdad había ocurrido un prodigio. No sabía a ciencia cierta qué era, pero no podía creer aquello a pesar de haberlo visto con sus propios ojos.

La noche anterior llegaron a un parador turístico, en la zona había alrededor de diez hoteles pequeños, se notaba que algunos, incluso, eran casas que fueron remodeladas para ese fin. Decidieron no desviarse de la vía principal, sospechaban que, si los buscaban en esa área, irían hacia los márgenes. Lucius se quedó en el más elegante, mientras que Ana y Salvador eligieron un caserón convertido en hotel. Era atendido por una pareja que los recibió de manera amable. La cocina había cerrado, pero la dueña les preparó unos sándwiches y les llevó frutas. Ellos devoraron todo con apetito y, a pesar del cansancio y de los temores, hicieron el amor y durmieron profundamente hasta la mañana siguiente.

Cuando iban saliendo se detuvieron a despedirse del dueño, que encontraron al pie de las escaleras, en eso escucharon una voz infantil.

—Mamá quiero hablar con ese señor —dijo una niña en silla de ruedas, señalando hacia Salvador, mientras su madre la miraba pasmada.

—La mujer se llevó una mano al pecho y vio pasmada a la pequeña.

—¡Estás hablando, mi vida! —exclamó la mujer con los ojos anegados de lágrimas.

—Quiero ir con él —insistió la niña, tirando de la blusa de la madre.

Ana vio todo como en cámara lenta. El padre de la nena también estaba atónito.

Salvador, al ver que la mujer no se movía, cruzó la habitación veloz y se arrodilló ante la silla de ruedas. Luego tomó las manos de la niña y le sonrió.

—Hola, ¿cómo te llamas? —le preguntó.

—Lindsey —dijo la pequeña, observando la cresta de Salvador.

—Lindsey es un bonito nombre —acotó él mientras sostenía las manos de la chica, cerró los ojos y le pidió a la pequeña que los cerrara un momento para hacer algo divertido. Ella obedeció.

Ana quiso correr hacia Salvador y sacarlo de allí, decirle que debían marcharse, pero una fuerza desconocida la mantuvo en su sitio los escasos tres minutos que el joven estuvo con la niña. De pronto lo vio incorporarse sin soltar las manos de Lindsey que, para asombro de todos, también se levantó.

—Pronto vas a pasear en bici, ¿verdad? —dijo salvador, sonriéndole con ternura.

—Sí, pero no tengo una bicicleta —dijo la niña manteniéndose de pie.

—Tu padre te comprará una —acotó Salvador—. Anda, abraza a tus padres, y vive que tu fe te ha curado.

La niña, sin salir de su estupor, comenzó a dar pasos vacilantes y, dando traspiés, fue hasta su padre, que no se había movido. La chiquilla gritaba «mira papá, Dios me curó», y la mujer empezó a llorar, emocionada. En ese instante Salvador tomó a Ana del brazo, que estaba estupefacta, y la arrastró hasta el garaje.

—¿Qué fue eso, Salvador? —preguntó con voz trémula.

—¡Oh! Nada de importancia —la chica solo necesitaba un poco de ayuda.

—¿Cómo vas a decirme eso? —preguntó Ana con voz tensa—, fue algo más que "un poco de ayuda" —y sin esperar respuesta encendió el jeep, desde donde estaban se escuchaba el alboroto de la familia. Ella no deseaba por nada del mundo permanecer allí, sin esperar a que el vehículo se calentara lo suficiente, salió disparada hacia la calle. Sabía que Lucius estaba cerca y los seguiría a corta distancia, como venía haciendo desde que salieron del centro comercial. Ana estaba temblando.

No sabía cómo describir aquella emoción, era un sentimiento totalmente inédito que se debatía entre cierto temor, sorpresa, incredulidad, y hasta rechazo. Tal vez este último efecto se debía al carácter inaudito del suceso, que ponía a prueba su modelo de percepción racional, y sentía que su sistema, euclidianamente lógico, amenazaba con derrumbarse.

—¿Quién eres? —preguntó ella sin darse cuenta de que era una pregunta retórica.

—*Yo soy el camino, y la verdad, y la vida* —le respondió el chico con una sonrisa.

Ana creyó que se estaba burlando de ella.

—No estoy de humor para bromas, Salvador —dijo conteniendo las ganas de gritar como una histérica, aunque también sentía deseos de echarse a llorar. Estaba anonadada por la situación. Salvador, con una intuición sorprendente, captó el nivel de desconcierto que rebasaba a la chica y respondió en tono cariñoso.

—Tú sabes bien quién soy y de dónde vengo —dijo mientras le acariciaba un brazo.

Ana suspiró, y trató de sonreírle, pensó que había sido injustamente dura con él.

—Tienes razón, por favor, perdóname, es que estoy que me muero de puro nervios —dijo con voz apaciguada—. La niña estaba en silla de ruedas, no sé si es cierto que no caminaba, pero sí sé que esa gente puede armar un barullo y delatarnos, es importante que nadie sepa dónde estamos.

—No te preocupes —acotó él sin dejar de acariciarle el brazo—, te repito que no nos hallarán, ten fe. Todo saldrá perfecto.

—Okey, okey —dijo Ana—, por favor, promete que no lo harás otra vez, esos... eventos o casualidades o lo que sean me llenan de ansiedad, además llaman la atención, nos pueden descubrir, tú lo sabes.

—Me temo que no puedo prometerte eso —dijo Salvador con voz tranquila—. Cuando ocurre no puedo evitarlo, es una fuerza que me impele a cumplir un mandato que para mí mismo es un misterio. No sabes cuánto lamento causarte este malestar, pero es inevitable.

Ana le dirigió una mirada en la que se reflejaba la angustia.

—Sé que una banda de enemigos nos busca para matarnos —afirmó Salvador—, pero te puedo jurar que no lo lograrán.

—¿Una banda? ¿Cuántos? —preguntó ella, inquieta.

—Son exactamente ocho hombres, los mismos que volaron el laboratorio. Están ansiosos por terminar el encargo, y cobrar la otra parte del dinero que les ofrecieron por liquidarnos.

—¿Cómo sabes eso?

—Lo sé, sencillamente. Puedo sentirlos, incluso verlos, por eso te digo, con toda seguridad que estaremos a salvo, siempre estaremos a salvo.

—No sé qué decirte —dijo Ana sin apartar la vista de la carretera—, saber que ocho tipos nos persiguen para matarnos me pone los pelos de punta.

—*Que no se turbe tu corazón* —dijo Salvador—: *cree en Dios, cree también en mí.*

***

Ana divisó los edificios más altos de St. Catharines, y le pidió a Salvador que consultara el mapa en la aplicación de su smartphone. Al entrar en la ciudad debía buscar el Parque Nacional Monte Sacro, uno de los lugares menos visitados porque su lago estaba contaminado. Su único atractivo lo ofrecía una catarata llamada La esperanza. El chofer los esperaría allí.

—Ya falta poco —dijo Ana, y le sonrió.

—Falta poco para iniciar la verdadera travesía —la corrigió Salvador—, llegar a Estados Unidos y luego ir a República Dominicana.

—¿República Dominicana? —preguntó incrédula— ¿Qué vamos a hacer allí?

—¿Todavía no has recordado la casa de la playa? —le preguntó.

Ana guardó silencio durante un par de minutos. Unas noches antes, cuando Salvador entró en el dormitorio de ella, en el edificio del Complejo, vio el pequeño estuche que le llevaba Marcelo, el cual le fue entregado, gracias a un abogado del equipo de Judas que se presentó en la morgue para apoyarlos. Cuando Salvador vio el envoltorio en la cómoda, lo agarró con delicadeza y le dijo que hacía juego con la casa de la playa. Ella pensó que estaba haciendo una analogía entre el color del estuche y el mar. Entonces se limitó a sonreírle. Salvador le pidió que buscara en su memoria y encontrara esa casa, pero Ana se sentía pletórica de felicidad y cansancio, así que asintió y le rogó que la abrazara de nuevo. Él, obediente, lo hizo. Ahora se daba cuenta de que no había olvidado aquella conversación, las palabras del joven quedaron resonando como un eco en alguna parte de su cabeza, y ahora volvían con fuerza al escuchar el nombre del país.

—Tengo un vago recuerdo —dijo por fin, con el ceño fruncido—, pero no sabría decir exactamente si es en esa isla o en otra parte del Caribe.

—Es allí, en una casa que era de un familiar de tu madre, quizá una hermana —afirmó Salvador—. Tu madre la heredó, y al morir pasó a manos de tu papá, que nunca se deshizo de la propiedad, ni la registró a su nombre. La ha mantenido mediante un administrador, que ahora te está esperando. Cuando llegues a Santo Domingo podrás pedirle las llaves. En esa casa están las respuestas a todas tus preguntas.

—¡Por Dios, Salvador! Ya recuerdo esa finca —exclamó Ana emocionada—. Pero, ¿cómo es posible que sepas todo eso? Sí, era de mi tía Virna, pero ignoraba que se la había dejado a mi madre —todo esto es demasiado para mí—. Dijo ella pasándose una mano por el cabello con gesto de cansancio.

—No te agobies —le rogó el joven—, tu padre tenía razones para mantener en secreto esa posesión. No era por asuntos amorosos, era por un tema de seguridad.

—Estuve allí, tal vez, cuando tenía cuatros años —dijo Ana mientras se aproximaba a la zona—, fue la época en que mi tía Virna enfermó y mi madre la acompañó varios meses, hasta que murió. Ella nunca se casó, se fue a vivir a esa finca desde muy joven, era bióloga marina. Tampoco tuvo hijos.

Ana quiso saber más acerca de esa casa, que en realidad era una pequeña finca que su tía Virna había comprado apenas se graduó. Fue rebelde, la oveja negra de la familia, se decía que era lesbiana y por eso siempre quiso vivir sola. Salvador insistió en que allí estaban todas las respuestas que ella buscaba, y le comentó que el estuche contenía una llave, solo tenía que investigar un poco, era un trabajo que ella debía hacer. Ana quería continuar con la conversación, cada vez recordaba más fragmentos de su estadía en aquel lugar, pero ya se estaban acercando al parque. Ana manejaba despacio, el sitio se hallaba abarrotado de turistas. Sería difícil encontrar dónde estacionar. Decidió dejar el jeep en un recodo de la carretera y continuar a pie hasta el lugar señalado para encontrarse con Lucius y el chofer de Uber que los llevaría hasta Nueva York.

***

Ana y Salvador se bajaron del jeep, el joven sacó los morrales mientras la chica le hacía una llamada a Lucius. Habló brevemente con él, que en ese momento estacionaba el auto para dirigirse al encuentro con ellos. Luego abrió Twitter para ver las nuevas noticias y se quedó paralizada cuando vio las tendencias mundiales: #elmilagrodelindsey #elmesias #dios #salvador #elclondecristo #salvadorsalvame #lindsey. Era evidente que los medios de comunicación se estaban haciendo eco de aquellas noticias que quedaban convertidas en fenómenos mediáticos.

Salvador observó la palidez de Ana y soltó los morrales para ir corriendo a su lado.

—Te lo dije, Salvador —dijo ella con voz trémula, y señalándole la pantalla del teléfono.

—¡Oh!, Ana —exclamó el chico rodeándola con sus brazos—. No pasa nada, ya te dije que todo está bien.

—¿Cómo puedes decir eso? —preguntó ella con voz irritada, haciendo un esfuerzo para no gritarle—, el mundo entero ya conoce nuestra existencia y sabe dónde estamos, es cuestión de tiempo que nos localicen y nos apresen —dijo nerviosa viendo hacia los lados—. No podremos escapar.

—*Mujer de poca fe* —dijo Salvador sin soltarla—. Mira la cantidad de gente y dime si alguien se ha fijado en nosotros, a pesar de que nuestro aspecto es bastante llamativo.

Ana lo vio y luego miró con más detenimiento a su alrededor. Cientos de personas iban de un lugar a otro, había niños y muchas parejas maduras, además de familias enteras que se desplazaban hacia distintos lugares del parque. Nadie reparaba en ellos, varias personas pasaban a su lado y ni los veían.

—Vaya, supongo que tienes razón —dijo la chica exhalando un profundo suspiro—. No entiendo, ¿cómo es posible que no se hayan fijado en nosotros?

—Porque nos ven como una de las tantas parejas que vienen aquí a disfrutar un paseo, un día especial.

Ella lo vio, la mirada de su amante le devolvía la paz, la seguridad. Le sonrió y después se fundieron en un abrazo cálido. Durante un par de minutos permanecieron apretados. La voz de Lucius los sobresaltó y se separaron en el acto, como si fuesen chiquillos pillados en alguna falta.

—Así que aquí están —dijo y, aunque trataba de parecer normal, se intuía cierta aprensión en el tono de su voz.

—Padre, me da gusto verte de nuevo —dijo Salvador y fue a su encuentro. Los hombres se dieron un fuerte y breve abrazo. En seguida Ana se les unió y abrazó a Lucius, se separó y le dio un par de besos en ambas mejillas.

—Te ves bien —dijo, separándose para apreciar mejor el look del doctor Green.

—Gracias, lamento que no pueda decir lo mismo de ustedes —acotó Lucius—, parecen unas cacatúas.

Los jóvenes rieron, la ocurrencia alivió las tensiones por unos minutos.

—Por cierto, Ana, esos zarcillos o aretes que tienes, ¿te dejarán marcas después que los retires?

—No —dijo ella sonriendo—, no son pircing auténticos, son temporales, funcionan a presión; son incomodos, pero no me perforé el rostro, si a eso te refieres.

—¡Ah!, pues me alegra saberlo —dijo Lucius—. Hablando de otra cosa —continuó con cautela—, pensé que los conseguiría hechos un manojo de nervios.

—Hace un rato sentí que moría de nervios cuando vi las redes sociales —dijo Ana—, pero Salvador me convenció de que nadie nos ve, fíjate, mira tú mismo —acotó señalando el espacio circundante.

—Bueno —aclaró Salvador con una sonrisa tímida—, sí nos ven, pero como a personas que vienen aquí a pasar el día, como ellos mismos.

—A ver si entiendo —terció Lucius—, no ven tu cresta ni la de Ana, es decir, no ven nuestra cara, que de paso está en todos los diarios y programas de televisión. ¿Es así?

—Nos ven como a un grupo más de los cientos que hay en estos momentos en el parque —dijo Salvador—. La realidad es la que nosotros mismos creamos, por eso es importante mantenernos tranquilos y actuar con naturalidad. Toda la gente que ahora mismo se halla en este parque, incluyendo a nuestros perseguidores, no ven estos aspectos extravagantes, menos aún nuestros verdaderos rostros.

Lucius y Ana palidecieron al escuchar que allí estaba la gente que los perseguía. Salvador lo notó y continuó hablando.

—Deben saber qué está ocurriendo ahora mismo, así no puedan verlo, como tampoco ellos pueden vernos a nosotros —afirmó Salvador—. Dos grupos nos persiguen, en uno hay ocho mercenarios con orden de matarnos, están en varios puntos estratégicos del parque. El otro grupo fue enviado por el tío Judas para protegernos, ellos tampoco podrán vernos, pero su esfuerzo será recompensado.

Lucius sintió que las piernas le flaqueaban, pero intentó mantener la compostura. Muchas preguntas se arremolinaron en su mente, sin embargo, se dijo que ya habría ocasión de hacerlas, ahora lo más importante era salir de allí. Estaban a un paso de la liberación.

—Bien —dijo con voz que intentaba ser firme—, hay que ubicar ahora mismo al chofer. Si seguimos la calle de la izquierda en diez minutos estaremos en la catarata La esperanza.

Los chicos recogieron los morrales y se pusieron en marcha.

Después de recorrer la sinuosa carretera, finalmente llegaron a la catarata. Aunque no era temporada vacacional, cientos de personas visitaban esa atracción. Salvador les dijo que no iban de excursión, sino que trataban de acceder al país por un atajo que, según algunos guías furtivos, conducía a una zona en los márgenes de Ontario. Por supuesto, aquello era falso, la gente terminaría estafada y perdida en el exuberante bosque.

—Hijo, no dejas de maravillarme con tu intuición —dijo Lucius, jadeando.

—No es una intuición —acotó Salvador—, es un conocimiento seguro.

Lucius hubiese querido seguir esa charla porque lo intrigaba sobremanera la capacidad adivinatoria de Salvador, pero su vida sedentaria le pasaba factura, apenas podía mantener el paso del joven sin desmayarse, además de que el estruendo de la catarata y el bullicio de la gente le exigían alzar la voz para hacerse escuchar. Recordó los programas utilizados para educarlo, hasta donde sabía, ninguno de ellos se relacionaba con la clarividencia. Este tema y el de los milagros sería lo primero en investigar en cuanto se instalaran en Estados Unidos. Tuvo la idea de que Salvador quizá estaba fabulando y recreaba tramas perfectas de acuerdo al contexto, lo cual sí se podría explicar dada la extraordinaria inteligencia del muchacho.

Un imponente letrero anunciaba que la catarata La esperanza era la desembocadura de tres ríos, el Éxodo y dos laterales, el Lublius y el Carlyn, su poderosa corriente terminaba en otra catarata denominada El arroyo.

El área donde se hallaba la catarata presentaba un relieve bastante irregular, lo cual había originado leyendas acerca de la construcción de la carretera que conducía hasta esa zona. Se rumoreaba que una cantidad de vehículos y de personas había desaparecido desde su fundación. Decían que los automóviles yacían en el fondo de las lagunas, mientras que los cadáveres fueron devorados por peces y demás especies salvajes de la reserva. Para alivio de las mentes crédulas, se notaba un despliegue de guardias que monitoreaba cada tramo del parque, y reforzaba la vigilancia en las inmediaciones de la catarata.

Ana se preguntó por qué el chofer escogería esa zona tan escondida para hacer el traslado, tendría sentido si él estuviese al tanto de la situación, pero esa agotadora caminata era una pérdida de tiempo. Estaba bañada en sudor, y aún no había recuperado del todo el ritmo normal de la respiración. Ella sabía que los cauces del Éxodo fueron contaminados durante mucho tiempo, llevando desechos hasta el lago que afectaba a las especies vegetales y animales que lo poblaban. A pesar de la gran campaña publicitaria realizada durante los años de la catástrofe, y de los análisis hechos por el Departamento de Salud del Condado, seguían existiendo vestigios de polución ambiental. El público continuaba asistiendo al lugar como si nada hubiera pasado, más aún en la época de lluvia cuando el caudal de la catarata aumentaba.

En aquella época el aforo crecía casi por minuto y el ruido del agua era ensordecedor. Ni siquiera dejaba que los turistas pudieran conversar, por lo que la gente se resignaba a ver el agua cayendo miles de metros hacia abajo. Un guarda parques en una de las riberas del río alertaba a los turistas sobre los peligros del torrente. En su bote destacaba una pizarra electrónica marcando la velocidad que era captada por una sonda sumergida al lado de la embarcación.

De repente vio a Mark y su inesperada aparición la angustió. Miró inquieta a Lucius que no pudo disimular su sorpresa. Se espantó más aún cuando el hombre, sonriente, se acercó a ellos. ¡Los había reconocido!

—¿Qué haces aquí? —lo interpeló Lucius con voz trémula.

—Cálmese, doctor —dijo Mark alzando la mano derecha—, vengo en son de paz, soy el chofer que los llevará a un sitio seguro.

—¿Cómo sé que no me estás siguiendo? —preguntó Lucius, mientras veía hacia los lados.

—Porque yo los he estado guiando —respondió Mark, y la estrella de cinco puntas asomó entre los pliegues de su camisa y reverberó con un brillo inusual.

Lucius dio un paso adelante con la intención de empujar a Mark y salir corriendo, pero Salvador lo tomó por un brazo con una fuerza inaudita.

—Espera, padre —dijo con tono apremiante—, él dice la verdad. Por favor, confíen. Mark está aquí para ayudarnos, como ha venido haciendo todo este tiempo —acotó mientras miraba a Lucius y a Ana alternativamente.

Súbitamente una algarabía aterrorizada se impuso al estrépito de la catarata y el grupo miró en esa dirección. Una baranda se había roto y un niño, junto con sus padres, cayó al acantilado. Otras personas lograron sujetarse precariamente de un tubo y fueron rescatadas por los guardias que actuaron de inmediato. Mientras tanto, Salvador, sin darle tiempo a sus amigos de reaccionar, corrió hacia el lugar, a unos quinientos metros de ellos, y se lanzó al lago para salvarlos.

Ana comenzó a llamarlo a grito vivo, mientras corría detrás de él, sin importarle si los descubrían. En un momento el lugar se convirtió en una muchedumbre caótica que corría y gritaba al mismo tiempo, intentando mantenerse, peligrosamente, cerca de la orilla para ver hacia el lago. Los guardias hicieron una especie de barrera humana para impedir que los curiosos siguieran acercándose. Ana y Lucius se fueron abriendo paso entre la gente apelmazada y comenzaron a empujar para colarse por los pequeños espacios que lograban abrir en aquel muro de espaldas sudorosas. Cuando Ana estaba a punto de pasar la delgada línea que la separaba del borde desde el que había saltado Salvador, un guardia la detuvo con fuerza.

—Lo siento, señorita, no puede pasar —le dijo con voz autoritaria—, retroceda, por favor.

—Mi novio fue el que saltó —gritó la chica con el rostro bañado en lágrimas, mientras intentaba zafarse del guardia.

En ese momento empezó a emerger una niebla veteada de tonalidades verde y morado. Hubo un momento en el que se produjo un silencio sobrecogedor, pero fue roto por varios gritos de personas que coreaban el nombre de Salvador.

—El Mesías está aquí, chilló una voz y los guardias tuvieron que aumentar los esfuerzos para contener la multitud que pretendía pasar. De repente se escuchó un tiroteo, cerca de allí, acompañado de gritos. Unos brazos fuertes arrastraron a Ana, que trataba de resistirse, pero aquella fuerza bestial no aflojó ni un ápice y en un par de minutos ya estaban fuera del barullo que ahora corría presa del pánico porque los disparos se escuchaban más cerca.

—Por favor, doctora, trate de calmarse —le dijo Mark—, tenemos que salir de aquí cuanto antes, ellos están muy cerca.

—Salvador —atinó a decir con la voz quebrada por el llanto y sin dejar de patalear.

—Ya tendrá noticias de él, ahora, le ruego que colabore.

—Quiero verlo, por Dios, solo quiero verlo —aulló histérica.

—Piense en su hijo —le soltó Mark.

Aquellas palabras produjeron un efecto inmediato en la chica que dejó de patear en el acto.

—¿Qué dices? —preguntó.

—Usted está embarazada, y lo sabe tan bien como yo —le dijo Mark, sin soltarla.

La noticia la rebasó, y hubiese caído desmayada en el piso si Mark no la hubiese tenido sostenida. El hombre aprovechó la oportunidad y la cargó, justo en ese instante Lucius llegó a su lado, jadeaba y estaba sudoroso. Mark le hizo una seña para que lo siguiera, y sin esperar respuesta se puso en marcha con una rapidez que hizo correr al científico.

Al llegar al auto Lucius pasó adelante para abrir la portezuela trasera, entonces vio los tres morrales y le iba a preguntar cómo llegaron allí, pero no tuvo tiempo. Mark le pidió que los sacara y, sin perder ni un segundo, acostó a la chica en el asiento. Le dijo al doctor Green que entrara al auto y él fue hasta la maleta para guardar los bolsos. En menos de cinco minutos estaban en marcha. Lucius se recostó extenuado, pensó en tomar un respiro para recuperar las fuerzas, le temblaban las piernas. Se dijo que Mark tenía muchas cosas que explicarle, pero cuando despertó estaba en una calle hermosa y poco concurrida de un barrio de Nueva York.

—Bien, doctor, ya hemos llegado —dijo Mark sacudiéndole suavemente un hombro.

—¡Ahh! —exclamó el doctor Green confuso.

—Este es el edificio que me indicó la doctora Simonetta Filo. En el segundo piso está su departamento —respondió Mark, mientras se bajaba para sacar los morrales del auto.

Lucius se bajó, sentía todas las articulaciones entumecidas. Abrió la puerta de atrás y despertó a Ana que se levantó como una sonámbula y salió sin hacer preguntas.

Mark le entregó las llaves del departamento y se despidió con una reverencia.

Ha sido un placer servirle, señor —dijo, y cuando se incorporó la estrella de cinco puntas refulgía con una luz resplandeciente.

Capítulo XVIII

Solo fuimos capaces de reconocer el paraíso como tal, cuando nos arrojaron de él.

Hermann Hesse

La brisa soplaba suave en aquella playa paradisíaca de Punta Cana. Luego de un silencio prolongado, Eustaquio abrió los ojos. Salvador estaba absorto, con la mirada perdida en el horizonte. Eustaquio cerró los ojos de nuevo y se entregó a una deliciosa duermevela en la que intuía que algo extraordinario estaba a punto de ocurrir.

***

Ana, desde la terraza de su casa observaba a lo lejos a Salvador y a Eustaquio, ya conocía el nombre del ser que estaba siendo sanado. Años atrás no hubo necesidad de hacerle ver al joven que hacer milagros en la isla los llevaría de nuevo a huidas arriesgadas. El mismo día que llegó a la finca, le prometió a su mujer que jamás comprometería su tranquilidad y la del hijo que estaba por nacer. De eso hacía nueve años, y él siempre cumplió su palabra, continuaba haciendo sanaciones, pero de tal forma que las personas no se deban cuenta de inmediato, sino al tiempo, con lo cual no podían hablar de milagros, como aquel caso de Eustaquio. Salvador sabía que el hombre fue a esa playa a despedirse de su vida, ya que padecía un cáncer terminal y estaba desahuciado. Paulatinamente iría mejorando y al llegar a la ciudad estaría restablecido, pero no tendría argumentos para atribuirlo a una cura milagrosa, como había ocurrido con Lindsey, aquella chiquilla que Salvador curó en el hotel donde Ana y él pasaron la noche cuando estaban escapando de Canadá.

En aquella ocasión el escándalo que suscitó la cura de la niña se convirtió en tendencia en Twitter y la noticia le dio la vuelta al mundo. Ana casi se había muerto del susto, hasta que Salvador la convenció de que no los apresarían y todo saldría bien. Ahora evocaba esos días de angustia extrema, de temor, y también de una felicidad que comenzó en ese tiempo y que, a veces, la hacía pellizcarse para estar segura de que no soñaba. Recordó cuando ella y el doctor Lucius Green llegaron al apartamento de Simonetta Filo, en Nueva York. Al entrar en el salón en penumbras se fijó en un cuadro enorme que cubría la mitad de la pared, el cual representaba una marina embravecida. La imagen la sacó de inmediato del estado de automatismo, en el que había caído desde que saliera del auto de Mark, y la enfrentó a una realidad que la obligó a sentarse porque las piernas se le aflojaron. Luego ocultó el rostro en las manos y se desmoronó. De inmediato sintió los brazos protectores de Lucius rodeándola, tratando de calmarla.

—Lo siento, querida, lo siento en el alma, quizá tanto como tú —le dijo Lucius haciendo un esfuerzo por mantener la poca calma que lo acompañaba.

—¿Por qué saltó? —preguntó Ana con voz entrecortada— ¿por qué tenía que hacer eso? ¿Por qué nos abandonó?

—Quizá no nos ha abandonado —se atrevió a decir Lucius, que intuía a Salvador lejos de las cataratas, a salvo.

Ana levantó el rostro enrojecido e inflamado de tanto llorar, y vio a Lucius con una chispa de esperanza en sus ojos.

—¿Qué quieres decir? —lo interpeló.

—Verás —dijo Lucius apartándose de ella y pasándose una mano por la cabeza—, hasta ahora Salvador ha demostrado un conocimiento y una presciencia inexplicables, pero que evidentemente funcionan. Cuando aseguró que nadie nos vería, pese a que estaban en el mismo lugar que nosotros, no mintió; fíjate que no tuvimos ningún inconveniente desde que salimos del laboratorio, no olvidemos que nos salvamos gracias a él, porque le creímos y salimos a tiempo. Es como un mago —dijo Lucius levantándose y caminando alrededor del sofá —un mago demasiado inteligente y sabio para suicidarse. No sé, creo que lo hizo para salvarnos y para salvarse.

—¿Tú crees que eso es posible? —preguntó Ana limpiándose la cara con el dorso de la mano.

—Vamos a ver las noticias —propuso Lucius señalando la pantalla de televisión que estaba al fondo—. Es la única forma de salir de dudas, aunque mantengo mis palabras.

Minutos más tarde estaban viendo los noticieros, todos los canales trasmitían el incidente del parque. Así se enteraron de que hubo un enfrentamiento entre dos grupos enemigos, cada uno con bajas. Lucius reconoció a un par de hombres que había visto tiempo atrás en el edificio de Mefisto Genomics, y

dedujo que ese era el grupo que Judas McLife envió para prote-
gerlos, como le advirtió Salvador. Desgraciadamente perdieron
dos hombres en el tiroteo. Ahora cobraban sentido las enigmáti-
cas palabras de Salvador: "su esfuerzo será recompensado". Del
otro grupo que identificaron como los asesinos que los buscaban
para matarlos y que, probablemente, hicieron explotar el laboratorio, las bajas eran mayores, ya que cinco de sus secuaces perdieron la vida y los otros tres fueron apresados.

Otro corresponsal, que se hallaba en las cataratas, informó acerca de la familia que había caído al lago y fue rescatada
por el joven que saltó, quien llevó a cada uno hasta un peñasco
y luego desapareció en medio de la corriente. Todo el mundo
afirmaba que se trataba de Salvador, criterio que fue reafirmado
minutos después cuando una bruma veteada de verde y morado
comenzó a emerger del lago. El periodista reveló que aún no se
había encontrado ningún rastro del joven que salvó a las personas que cayeron al lago. No obstante, un equipo de buzos seguía
recorriendo cada palmo del mismo y de los ríos cercanos.

—¿Ves? A eso me refiero —dijo Lucius—. No está allí.

—No sé —dijo Ana, pero en sus ojos brillaba una chispa
de esperanza—, no quisiera ilusionarme por gusto.

—Verás que tengo razón —dijo Lucius y le apretó un brazo.

En ese momento otra noticia captó su atención, se trataba del revuelo por el milagro de la niña, el cual daba la vuelta
al mundo. Varios canales entrevistaban a Lindsey y sus padres,
así como a vecinos del hotel y amigos de la familia. Uno de los
periodistas dijo que no había pronunciamiento de parte de los
médicos que trataban la chica y días atrás dieron el diagnostico
de enfermedad terminal, declarándola desahuciada; tampoco

podían dar con el paradero de ninguno de ellos. El centro clínico donde Lindsey había sido tratada se negó a emitir declaraciones. Lucius pensó que no le gustaría estar en los zapatos de aquellos médicos.

En un siglo gobernado por la incredulidad de la ciencia y la tecnología, nadie se atrevía a ir hablando de milagros, resucitaciones y otros temas por el estilo. A Lucius jamás se le ocurriría catalogar las curaciones, incluso la que él mismo había experimentado, como un milagro. Suspiró profundo y admitió su egoísmo, su actitud cobarde, pero no quería correr el riesgo de descrédito profesional, una cosa era que lo señalaran como autor de un experimento no controlado y otra distinta comprometer la credibilidad de su trabajo.

En la enorme pantalla de la televisión Lucius y Ana vieron a la niña, que esta vez aparecía sin el gorro con el que Ana la recordaba. Ahora mostraba la cabeza totalmente calva, y hablaba emocionada de Salvador. Ella aclaró que no sabía su verdadero nombre hasta que lo vio en las noticias, dijo que él se había registrado en el hotel como Christian Bowles y su novia como Neska Russell. La chiquilla contó que, cuando vio a Salvador, fue como despertar de repente, y pasó a narrar que, desde que se levantaba hasta el momento en que su madre la metía de nuevo en la cama, ella se sentía débil, además, no tenía interés en nada. Poco a poco la debilidad fue aumentando y casi siempre estaba aletargada en la silla de ruedas mientras sus padres trabajaban. Sabía que se iba a morir, y al principio esa idea le dio miedo, pero los dolores se tornaron tan insoportables que la dejaban extenuada y la muerte dejó de importarle. Así transcurría su vida hasta ese instante en que una fuerza la despertó y entonces lo vio.

Lindsey aseveró que no sabía cómo salieron las palabras para pedirle a su madre que la llevara hasta él, de pronto se dio cuenta de que estaba hablando y Salvador se acercó a ella y la tomó de las manos. Lindsey comenzó a llorar, pero cuando la reportera dijo que lo podían dejar hasta allí, la niña hizo un ademán indicando que no, incluso sus padres, que estaban cerca de ella, se contuvieron. Pronto se recuperó y, aún con lágrimas en los ojos, continuó narrando cómo un calor delicioso que emanaba de las manos de Salvador pasó a sus manos y en un segundo estaba en todo su cuerpo, sentía como si un río tibio hubiese sacado el frío de su cuerpo y una tela de un tono rosado y lleno de escarchas la envolvía. Ante la expresión interrogante de la periodista, Lindsey se encogió de hombros y dijo que no sabía explicarlo mejor, pero fue así como lo percibió. Y continuó diciendo que de inmediato los dolores desaparecieron y se sintió fuerte, supo que podía caminar y lo hizo. La periodista, sin perder tiempo, le preguntó que pensaba acerca de esa niebla con vetas verdes y moradas. La niña dijo que no sabía qué era. De inmediato unas tomas, incluyendo una aérea, mostraron la neblina que rodeaba el lugar, y se apreciaban los pronunciados visos verdes y morados.

Lucius y Ana vieron aquel fragmento de la entrevista conteniendo la respiración, cuando la chica finalizó, ella cambió el canal y continúo haciendo zapping como si quisiera huir de aquel testimonio.

—¿Qué pasa, Ana? —preguntó Lucius preocupado— detente, por favor dijo sujetándole la mano.

—No sé —dijo a punto de echarse a llorar de nuevo —ese testimonio me desconcierta, yo estaba ahí y sé que no miente, pero me produce una intranquilidad que no puedo explicar, quizá porque eso muestra que no conozco a Salvador, o sé de él poco, qué sé yo...

—Vamos —dijo Lucius—, sabes que no es verdad, es inquietante porque no podemos explicarlo, pero ya investigaremos ese fenómeno y verás que tendrá su explicación —dijo el científico con ganas de zanjar ese tema ahí, no quería hablar de eso.

En ese momento se abrió la puerta de entrada y Ana dio un salto seguida por Lucius que se puso en guardia y agarró un paraguas que estaba cerca.

—¡Por Dios! ¿Qué recibimiento es este? —preguntó entre risas Simonetta que iba cargada con bolsas de compras.

Lucius se apresuró a soltar el paraguas, avergonzado y aliviado al mismo tiempo, y Ana corrió hacia la mujer para ayudarla con las bolsas. Lucius se les unió y comenzaron a reír por el susto que casi los mata. Mientras se dirigían hacia la cocina comenzaron a hacerse preguntas, los tres estaban ansiosos de conocer los detalles de sus respectivos itinerarios.

Simonetta les contó que había llegado a Nueva York el mismo día que ellos estuvieron en su laboratorio, pero que viajó en avión. Les dijo que, aunque sintió un poco de temor, no se había planteado salir de allí, pero que apenas ellos se marcharon en la camioneta, Mark la abordó, cuando iba a entrar de nuevo al laboratorio por la puerta del invernadero, y le pidió que abandonara el lugar porque corría peligro. El hombre le habló con tanta seguridad que ella no lo dudó ni un momento y, cuando se disponía a correr al laboratorio, recordó las llaves del apartamento y se reprochó, en voz alta, no habérselas dado a Lucius.

—¡Qué tonta soy! —exclamó contrariada— debí pensarlo antes. El apartamento es más seguro que registrarse en un hotel.

—Puede mandarlas conmigo —dijo Mark— está a tiempo. Yo me encontraré con ellos mañana.

Entonces la doctora Filo le entregó las llaves.

Lucius y Ana cruzaron una mirada

—¿Qué pasa? —preguntó Simonetta.

—Es que yo no había visto a Mark desde la noche antes de la explosión, luego se apareció como el chofer de Uber y nos trajo hasta aquí. Al llegar me dio las llaves, me dijo que tú me las habías mandado, y me señaló el apartamento.

—Es otro misterio que se suma a la ristra que ha envuelto estos días —acotó Ana.

Aquella tarde Simonetta preparó una cena deliciosa; Ana y Lucius estaban hambrientos y comieron con un apetito envidiable. El resto de la velada transcurrió frente a la pantalla del televisor, que no dejaba de pasar diferentes noticias de aquel acontecimiento que los periodistas bautizaron como el Fenómeno Salvador, el cual se inició con la explosión del laboratorio. Lucius sabía que aquella tragedia se había iniciado con la muerte de Marcelo Mazzini. En varias tomas mostraron escenas de la mañana anterior del edificio de Mefisto Genomics, que aparecía rodeado de periodistas, luego enfocaban el helicóptero de Judas despegando desde la azotea del edificio y el gesto obsceno de McLife que fue captado por un camarógrafo. Otra toma dejaba ver la residencia del empresario, semejante a un fortín rodeado por un muro bastante alto. Judas McLife se encerró en su mansión con su equipo de trabajo. Era evidente que estaba atrincherado hasta que las aguas bajaran el nivel.

***

La siguiente semana fue de locura. Millones de personas se sumaban a las multitudinarias manifestaciones que ocurrieron alrededor del mundo. Millares de pancartas y proclamas saludaban al nuevo Mesías, otras decían *Todos somos Salvador.* Una ingente cantidad de letreros clamaban por el chico solicitando un milagro. Las iglesias se vieron obligadas a pedir protección policial ya que fueron desbordadas por devotos que insistían en orar por Salvador, y los sacerdotes no sabían qué hacer, sobre todo, después del escueto, aunque lapidario, veredicto del papa. Ciertos grupos radicales comenzaron a quemar templos en todo el mundo. Interminables filas de enfermos copaban calles, iglesias y los alrededores del parque Monte Sacro, el cual fue cerrado por las autoridades que fueron rebasadas por el caos reinante. Así continuaron aquellos días saturados de un clamor general suplicando a Salvador que les hiciera un milagro de sanación.

Ante ese panorama Lucius cayó en un mutismo arisco del que solo lo podía sacar Simonetta, y eso a ratos. Ana, por su parte, tampoco estuvo muy comunicativa durante esas semanas, y se mantuvo sentada durante horas frente a la pantalla de la televisión. Se levantaba para ir al baño, comer algo cuando Simonetta la llamaba, o para ir a dormir cuando los párpados se le cerraban. Al pasar el tiempo sin noticias de Salvador, la esperanza de que no hubiese muerto ahogado, iba creciendo, como la semilla en su vientre que no dejaba de acariciarse mientras veía las informaciones y los reportajes.

Los guardaparques y bomberos pasaron dos semanas revisando los cauces y masas de agua de los alrededores. Al finalizar la segunda semana de búsqueda los buzos se llevaron otra sorpresa al toparse con un banco de peces en dirección al lago, algunos, incluso se enredaron con una inmensa cantidad de algas que había crecido en el fondo. Los medios se apresuraron a titularlo: *Milagro en el Lago*. Después de años sin rastros de vida, por la contaminación, esta surgió de la nada.

La tercera semana los acontecimientos se fueron aplacando. Por cansancio, por represión policial, y por falta de novedades en el caso Salvador, como lo denominaban muchos medios, la gente comenzó a regresar a sus casas, las iglesias recobraron la normalidad y dejaron de ser el blanco de extremistas y vagos de oficio. Las autoridades del parque Monte Sacro, en un comunicado oficial, declararon finalizada la búsqueda. No hallaron vestigios del joven y ahora se estaban abocando, junto a un equipo de biólogos, del estudio de las especies de fauna y flora que formaban el ecosistema acuático del parque que, hasta hace poco, eran aguas contaminadas. El vocero del parque no tuvo problemas en calificar el fenómeno como una resurrección de la vida marina, otro milagro hecho por Salvador. Por fortuna, la noticia no logró avivar el fuego del caos que había dominado las semanas anteriores; sin embargo, el parque se mantuvo cerrado y fuertemente custodiado por una unidad de la guardia.

A instancias de Simonetta, Ana comenzó a salir a caminar. Estaba pálida y demacrada, la bióloga insistió en que debía cuidarse, dado su estado de gravidez, fue la única forma de sacar a la chica del apartamento. Lucius también empezó a realizar pequeños paseos que, poco a poco, se convirtieron en largas caminatas, lo cual lo ayudó a superar el abatimiento que amenazaba con hundirlo.

Una tarde en la que Ana se atrevió a ir más allá del límite que ella misma se había impuesto sin darse cuenta, encontró una tienda preciosa llena de artículos para recién nacidos, el corazón se le aceleró y entró. En una de las vitrinas estaba observando una colección de pijamas infantiles cuando vio una cajita que le recordó la que le había regalado su padre. La visión fue como un sacudón que la sacó de su prolongado ensimismamiento y la hizo tomar consciencia de sus compromisos y de sus necesidades. Había olvidado por completo el viaje que debía hacer a República Dominicana, se lo debía a la memoria de su padre y a Salvador. Sonrió, se pasó la mano por el vientre y salió veloz de la tienda.

Apenas llegó al apartamento le comunicó a Lucius y a Simonetta su decisión de viajar. La pareja estuvo de acuerdo y se ofreció para acompañarla. Ana percibió que lo decían más por afecto que por verdaderos deseos de ir, y les respondió que prefería hacer el viaje sola. Notó que sus amigos respiraban aliviados y sonrió, luego los abrazó con auténtico cariño y agradecimiento.

Simonetta le dijo que sería prudente obtener una nueva identidad, ya que los eventos eran recientes y no sabían si aún los estaban siguiendo. Ana y Lucius se miraron temerosos, y accedieron a cambiar sus nombres lo antes posible. Simonetta tenía un amigo policía que, a su vez, conocía a un falsificador que podía hacerles unos documentos mejores que los originales, según el funcionario. Lucius pidió que también hicieran uno para Salvador, él estaba convencido de que el chico aparecería, Ana aplaudió la idea. En pocos días la joven se encontraba en un avión rumbo a Santo Domingo. Al llegar allí tendría que iniciar una búsqueda de las administradoras de bienes raíces hasta dar con la que gestionaba la finca de su padre, que ahora le pertenecía a ella. Se había inscrito como Eva Kemp, en su bolso llevaba la documentación de Salvador a nombre de Edward Kemp, y en su vientre una gran felicidad que la impulsaba a vivir.

Al llegar a la isla no perdió tiempo y apenas se registró en un hotel le pidió al recepcionista una lista de empresas administradoras de bienes raíces en Punta Cana. El hombre no tardó en llevarle un listado con una treintena de nombres comerciales. Ana inició una búsqueda por Internet y fue eliminando las más recientes, al final quedaron dieciocho candidatas. Era tarde cuando terminó de examinar los datos de las compañías seleccionadas, y se fue a dormir. Al día siguiente, después de desayunar, subió de nuevo a su habitación y empezó a llamar a cada una de las administradoras que, a su juicio, tenían el perfil que Marcelo hubiese seleccionado en una empresa para que administrase sus bienes.

En el séptimo intento tuvo suerte y casi gritó bingo cuando, después de repetir el consabido saludo y decir que estaba interesada en una propiedad a nombre de Marcelo Mazzini, la recepcionista le dijo que esa información solo la podía dar el jefe y él no se encontraba en ese momento. Ana le dejó su número del hotel. Le hizo ver a la chica que era urgente, y le rogó que se lo diera al administrador jefe cuanto antes. Decidió no hacer más llamadas para que el teléfono estuviera libre cuando el hombre se comunicara con ella. Dos horas después recibió la ansiada llamada.

—¡Hola! —saludó Ana ansiosa.

—Buenas tardes —respondió un hombre con voz grave—, ¿es la señorita Eva Kemp?

—Sí, y usted debe ser el administrador —respondió ella.

—Así es, mi nombre es Williams Nicholls —se presentó con cautela—. Mi secretaria me dijo que usted está buscando una propiedad en Punta Cana, dígame en qué puedo ayudarla.

—Sí —se apresuró a decir—, estoy buscando una finca a nombre de Marcelo Mazzini.

El hombre guardó silencio durante unos segundos que a la chica se le hicieron eternos.

—Lo siento, no tenemos ninguna propiedad del señor Mazzini —dijo por fin—, a menos que esté a nombre de otra persona.

Ana se dio un puño en la frente, qué idiota, se dijo a sí misma en silencio.

—¡Claro! —exclamó con el corazón acelerado—, está a nombre de Virna Rizzo, ella era mi tía; le dejó esa propiedad a mi madre, Alessia Rizzo, mi padre, Marcelo Mazzini nunca registró la propiedad a su nombre cuando mi madre falleció.

—Bien, bien —dijo el administrador con un tono de voz más cálido—, para vernos solo me faltarían sus datos personales, es decir, nombre completo y DNI.

Ana se los dio de inmediato y escuchó el leve sonido de las paginas al pasar, y sospechó que el hombre estaba cotejando la información.

—Perfecto, señorita Mazzini —dijo el hombre—, por favor, tome nota de la dirección de nuestras oficinas, y dígame cuándo podemos vernos.

—Ahora mismo, si es posible —respondió Ana.

***

Ese mismo día Ana se reunió con Williams Nicholls. Apenas la vio, el hombre le dio las condolencias y ella, después de intercambiar las habituales frases de gratitud, aprovechó para abordar un tema en el que estuvo pensando mientras se dirigía a la oficina. Necesitaba que su verdadera identidad se mantuviera en secreto, y para eso había ensayado un guion, no le diría todo, solo lo necesario. El recibimiento de Williams y sus palabras del pésame, le ofrecieron la oportunidad perfecta para contarle parte del desastre que había vivido semanas antes, por supuesto, omitiendo una buena cantidad de detalles. Tal como había salido en los medios, ella le ratificó que el ataque contra el laboratorio fue perpetrado por un grupo radical. Le dijo que ellos tuvieron que escapar y se salvaron de milagro, por eso le rogaba reserva con respecto a su identidad. Williams la escuchó boquiabierto, le comentó que él había visto muchísimas noticias, era imposible no hacerlo porque la radio, los periódicos y la televisión, además de las redes sociales, no hablaban de otra cosa, pero que a él no se le ocurrió vincular a esa doctora Mazzini, que mencionaron los medios, con la hija de su amigo Marcelo. El administrador, con tono consternado, no dudó en asegurarle que sería absolutamente discreto con la información que acababa de recibir. Ana se lo agradeció.

Gracias a la excelente gestión del administrador la finca se encontraba impecable, lista para habitar. Williams le notificó que había contratado a una pareja para que se encargara de limpiar la casa cada ocho días, aunque no había mucho que hacer, la señora Úrsula sacudía el polvo y abría las ventanas para que la estancia se ventilara. Juan, el esposo de ella, se encargaba de hacer el mantenimiento de la piscina y los jardines. Tenían doce años trabajando en la casa, vivían en un anexo en los terrenos de la finca. Marcelo se la llevaba bien con ellos. Úrsula era una mujer de cuarenta años, jovial y atenta. Tenía la piel curtida de tanto pasear por la playa sin utilizar protector solar. Una vez Ana quiso regalarle uno y la mujer, entre risas, le dijo que ella nunca se pondría esos patuques. Juan era respetuoso y callado, se desplazaba por la casa como una sombra. Ana estaba encantada de poder contar con esa ayuda mientras estuviese allí.

Ella no recordaba lo hermosa que era la finca, ahora, recorriendo sus frescas habitaciones, decoradas con esmero y elegancia, la sobriedad de los salones y el comedor, la acogedora cocina, los magníficos jardines y la espectacular piscina, se sintió bendecida. Recorrió su habitación, era grande y contaba con una terraza desde la que se observaba el mar. Estuvo un rato viendo el azul que refulgía con el sol radiante. Se desvistió lentamente y entró al baño, se metió en la bañera y, por primera vez en semanas, pudo relajarse. Luego se fue a dormir una siesta. Eran más de las cinco de la tarde cuando se despertó. Salió al pasillo y se quedó unos minutos de pie, atenta por si captaba algún ruido, pero solo el silencio reinaba en la estancia, que se hallaba envuelta en una suave penumbra. Úrsula había entrecerrado las persianas. Ana regresó al dormitorio y buscó el estuche azul.

Salvador le había dicho que buscara un mar, ella estuvo a punto de preguntarle a Úrsula, de forma directa, dónde estaba la caja fuerte, pero se cohibió, sin saber por qué. Pensó que ellos tenían doce años trabajando allí para Marcelo, por tanto, debían conocer la existencia de la caja de seguridad. Sin embargo, obedeciendo a un oscuro instinto, decidió buscarla ella sola, y la encontró más rápido de lo que imaginaba. Al ver un cuadro que representaba una marina perfecta, ubicado encima del copete de la cama, recordó otro lienzo en la sala del departamento en Italia, donde vivía con sus padres. Sabía que estaba empotrado en la pared, pero si lo sujetaba por los bordes y halaba hacia ella, el marco saldría.

Le costó trabajo, tuvo que intentarlo varias veces y hacer un esfuerzo considerable hasta que logró sacarlo con un tirón que la hizo caer sentada en la cama con el lienzo encima de ella. Se incorporó temiendo que se hubiese roto, pero estaba intacto. Con cuidado se bajó del lecho y recostó el cuadro de la pared. Inmediatamente agarró el estuche y sacó la plaquita, de un salto se subió de nuevo en la cama y observó con detenimiento la superficie lisa de un rectángulo plateado. Este mediría aproximadamente cincuenta centímetros de alto por un metro de largo. En su casa de Italia su padre había ideado el mismo sistema para cubrir la caja fuerte, pero aquella tenía un teclado, esta, en cambio, era una superficie lisa. Ana pasó los dedos por el metal tratando de localizar alguna ranura. Fue a encender la luz, ya que con la claridad que entraba por la terraza no podía apreciar más detalles.

Entre la pared y los bordes de la caja no había ni un milímetro de separación, ni relieves ni molduras, de tal forma que toda la superficie era totalmente lisa. Cuando ya estaba a punto de ir a buscar una lupa, observó una diminuta línea en la parte posterior derecha, camuflada en el mismo tono plateado de la cubierta. Sonrió y, con mano trémula, introdujo la fina placa en la casi imperceptible abertura, de inmediato un suave chasquido le confirmó que había dado en el clavo. Lentamente el mecanismo se puso en marcha y la puerta comenzó a deslizarse hacia el lado izquierdo. Ana se maravilló del trabajo que su padre hizo allí. Calculó que toda la pared, o al menos una buena parte, estaba comprometida con aquel sofisticado sistema de seguridad. Es decir, para sacar la caja, era probable que hubiese sido necesario echar abajo la pared.

Aunque sabía que se hallaba sola porque Úrsula y Juan se despidieron cuando ella subió a ducharse para descansar un rato, saltó de la cama y fue hasta la puerta para cerrarla con seguro, se dijo que estaba paranoica, pero después de todo lo que había pasado, cualquier forma de protección no estaba de más. Al regresar se quedó viendo el contenido de la caja, que parecía una bóveda bancaria. Varias columnas hechas con pacas de billetes ocupaban las tres cuartas partes del espacio, el cual era grande. Ana examinó varias rumas y calculó que todas contenían la misma cantidad, cien mil dólares cada una. Pensó que con lo que había allí podía vivir el resto de su vida sin trabajar, y no pudo dejar de sonreír ante la idea que le pareció imposible, ya que estaba acostumbrada a ganarse la vida, además amaba su profesión. En el espacio que las rumas de billetes dejaron libre, estaba apilada una buena cantidad de fundas con costosas joyas. Algunas las reconoció, pertenecieron a su madre, las otras, seguramente, eran herencia de familia. Luego observó varios sobres de manila cuidadosamente organizados y con etiquetas numeradas. Todos estaban dirigidos a ella.

***

Pasadas las ocho de la noche Ana terminó de leer todos los documentos que su padre le había dejado. El sobre marcado con el número uno contenía una carta en la que decía: «Mi amada hija, si estás leyendo esta carta es porque estoy muerto, y ya no me dolerá lo que creas de mí. Siempre te he amado, jamás traicioné a tu madre como te has empeñado en creer.» Luego seguía una historia en la que contaba por qué el matrimonio fracasó. No hubo amantes ocultas ni nada de eso, sino un trabajo intenso, apasionante. Justamente al año de haberse casado, un colega lo recomendó para que iniciara una serie de estudios que, de ser admitido, lo incorporaría al equipo de científicos del Vaticano. Esa oferta fue un reto para Marcelo que se entregó por completo a ellas. No podía hablar de eso con nadie, ni siquiera con su esposa y, él, obediente, lo hizo. Durante un año se plegó al manual de fundamentos y se sometió a una batería de pruebas que, finalmente, culminó con la aceptación en el Concejo Científico del Vaticano. Su sueño se había cumplido, pero no imaginó que su vida daría un vuelco por el trabajo tan apasionante que comenzó a desempeñar.

A medida que pasaba el tiempo se iba involucrando más con secretos ocultos durante siglos en las resguardadas estancias subterráneas de la Santa Sede. El conocimiento obró como una droga mefistofélica que, poco a poco, lo apartó de familia y amigos, solo vivía para su trabajo en la congregación científica. Alessia, su esposa, comenzó a reclamar más atención, era natural que lo hiciera, y Marcelo aceptaba que se había comportado de forma egoísta porque no podía ni quería renunciar a sus investigaciones. Paulatinamente se fue alejando de ella para evitar peleas y, un par de años después, él supo que tenía un amante. Al principio tuvo un ataque de celos y corrió hasta el apartamento para reclamarle su infidelidad, pero ella lo detuvo en seco recordándole que hacía más de diez meses que no tenía relaciones sexuales, por tanto, ella no era su mujer.

Para Marcelo no fue fácil comprender que Alessia, una mujer que todavía no llegaba a los treinta años de edad, tuviera esa necesidad de piel y de carne que él había perdido entre los fríos muros de su laboratorio. Ambos decidieron mandar a Ana a estudiar en un colegio de monjas, internada la mayor parte del año, para que no se diera cuenta del romance de su madre, que había enloquecido por Pierfrancesco. Marcelo le suplicó a Alessia que fuera prudente y mantuviera el recato, al menos frente a su hija. Ella accedió y se fue a vivir con su amante a una villa de la familia de ella. Cinco años después Pierfrancesco se enamoró de otra chica, que murió junto a él, en un accidente de tránsito, mientras huían ebrios y a exceso de velocidad. Alessia no superó el golpe, cayó en una depresión y a los ocho meses se suicidó. En aquella carta, Marcelo le juraba a su hija que había hecho todo lo que estuvo al alcance de su mano para ayudar a su madre, sin embargo, admitía su culpa por haberla abandonado. Esa confesión, y conocer la verdadera razón de la muerte de su madre, fue un golpe para Ana, pero con los ojos anegados de lágrimas, y manos temblorosas, siguió indagando en aquel legajo de papeles.

En el siguiente sobre que revisó solo había tres documentos y la dirección de un banco en Santo Domingo. Leyó las pocas páginas en las que su padre exponía que le dejaba íntegro todo el dinero de su trabajo para que ella le diera el uso que quisiera. A continuación, le daba indicaciones para que se comunicara con un tal Mateo D'Angelo, quien era el abogado que se encargaría de los trámites para que tomara posesión de su patrimonio.

En otros sobres había papeles en los que hablaba de su trabajo en el laboratorio, había expedientes de experimentos que la sorprendieron. Constituían un legado extraordinario que él le dejaba. En uno de los sobres halló el procedimiento completo de la prueba que realizaron al Sudario. En el mismo sobre encontró un contrato firmado por miembros de equipo científico del Vaticano en el que se comprometían a custodiar y defender, con su vida, si era preciso, esa muestra para que nunca cayera en manos de ninguna otra persona. Se aclaraba que aquella investigación era absolutamente secreta, por ese motivo buscaron un laboratorio alejado de Italia y contrataron a un genetista foráneo que no sabía nada del experimento. Ana dedujo que Lucius se las había ingeniado para robar parte de la muestra. Siguió leyendo, más abajo se aclaraba que dicha muestra provenía del lienzo de la Edesa, y no del Sudario. Ana se llevó una mano al pecho, pues la carta aseguraba que esa era la verdadera imagen de Cristo.

***

Durante varios días Ana estuvo rumiando aquella información, lo hacía por partes, a veces se le mezclaban los contenidos y tenía que consultar de nuevo los documentos. Leía una y otra vez aquellos papeles tratando de comprender a sus padres, la vida que llevaron, los secretos de la muestra sacada del Vaticano a escondidas del papa. Las repercusiones de esa información que ahora tenía, y su vinculación con Salvador. En esa parte se detenía y se preguntaba dónde estaría en esos momentos. No había dejado de ver las noticias, y la alentaba saber que su cuerpo no se localizó en los cauces de corrientes cercanas.

Salía a pasear antes de las ocho de la mañana, a esa hora la playa estaba desierta, también le gustaba salir en la tarde, después de la cinco, cuando el sol ya se estaba ocultando y no había gente en los alrededores. En esos días no quería ver a nadie, pero cerca de la finca se ubicaba un hotel y se veía obligada a compartir esa playa. Mientras caminaba por la orilla veía hacia el horizonte, rogando para que Salvador apareciera. No obstante, los días pasaron y él no daba muestras de vida. Lucius y Simonetta le escribían correos y mensajes que Ana respondía con buen humor, pues su ánimo había mejorado de manera notable. Ella afirmaba que era gracias al mar, al aire puro y al sol tropical. Les hablaba de sus paseos por la playa, de las bellezas de la finca, y del legado que le dejó su padre, pero jamás les mencionó nada acerca de los documentos, su intuición le decía que ese secreto solo le pertenecía a ella, estaba segura de que podía compartirlo con Salvador, pero con nadie más.

Las llamadas telefónicas entre Simonetta y Lucius se intensificaron cuando apareció una noticia que hablaba de Salvador. Al principio no sabía si creer o no, pero algunos medios confiables comenzaron a replicarla y ella la aceptó. Según afirmó un numeroso grupo de personas que asistía a un campeonato de surf, en una pequeña isla francesa, había visto a un joven caminar por una zona prohibida de la playa en la que se halla un lecho de corales y erizos venenosos. Se acercaron, alarmados, y vieron que el chico se desplazaba como si estuviera caminado sobre el agua. Les impactó la imagen, más aún cuando el hombre salió sano y salvo.

—¡Oye! —le gritó alguien— ¿estás bien?

—Estoy bien —respondió haciendo una leve inclinación de cabeza hacia el grupo que lo observaba atónito.

—¿No te diste cuenta de dónde estabas pisando?

—No entiendo —respondió.

—Fíjate —le dijo un conocedor de la isla señalando una zona oscura de corales por donde había salido caminando—, saliste por la franja de los erizos venenosos. Seguramente te has clavado algunas espinas. Tenemos que llevarte a un hospital, antes de que sea tarde.

—¡Oh! No se preocupen —respondió mientras se revisaba la planta de los pies—. No me ha pasado nada.

Ante la sorpresa de todos, el joven se abrió paso y siguió la ruta que conducía hacia la salida, mientras el grupo miraba fascinado un resplandor verde con tonalidades moradas que cubría la zona por donde había salido el joven. Después uno de ellos gritó que ese era Salvador y corrieron por el camino que él había recorrido unos minutos antes, pero no encontraron ni sus huellas en la arena. Había desaparecido.

Después de esa noticia siguió un mes de especulaciones donde muchas afirmaban haberlo visto, pero luego se sabía que era mentira. Cuando ya casi nadie hablaba de esa noticia, salió otra que también fue avalada por testigos serios. Esta vez también fue en una playa y Ana lo tomó como un mensaje, estaba cerca.

La primicia declaraba que Salvador había sido visto de nuevo y había hecho otro milagro. Luego pasaba a referir cómo un nutrido grupo de personas, la mayoría ambientalistas y activistas por los derechos de los animales, además de biólogos y otros simpatizantes, se hallaban haciendo esfuerzos para ayudar a varios cetáceos que, víctimas de una increíble tempestad, quedaron varados en la playa. La muchedumbre vio cuando un joven de cabello largo pasó entre ellos y caminó hacia el mar, en apariencia indiferente, pero tras de sí iba dejando una estela de bondad tan fuerte que muchos se giraron a ver qué pasaba alrededor. Entonces, mientras el chico se adentraba en las aguas el clima cambió, negros nubarrones aparecieron en el horizonte oscureciendo la playa. De pronto comenzó a llover fuerte, y la multitud vio, aturdida, cómo una enorme masa de agua se desplazaba velozmente hacia la orilla. La gente comenzó a correr aterrorizada alejándose de allí.

Una hora más tarde, cuando la lluvia cesó y las aguas se retiraron de la playa, la gente se acercó, ya las ballenas, delfines y tiburones no estaban, pero del mar emergía una bruma verde con visajes morados. Todos comenzaron a gritar ¡milagro! ¡Milagro! Y esperaban que esta vez el Vaticano se pronunciara. Sin embargo, la mejor campaña de la Santa Sede para desprestigiar los milagros que muchas personas aseguraron haber visto, incluso experimentado, fue su silencio e indiferencia.

Después de eso Ana quedó expectante, dormía con el televisor encendido, le escribía muy temprano a Lucius, que también estaba alerta y en esa dinámica estuvo varios días hasta que la tensión, poco a poco, comenzó a bajar y desapareció.

Ana sabía, por los documentos que le dejó Marcelo, que el papa ignoraba todo acerca de las pruebas que se estaban haciendo. Tiempo después, Salvador le comentó que, cuando explotó el laboratorio y se desencadenó aquel desastre, quedó en evidencia que alguien de la Santa Sede tenía las manos metidas en aquello. Las imágenes que Judas McLife mandó a los medios de comunicación levantaron un gran revuelo. En el Vaticano echaron a todos los miembros del Concejo Científico y el sumo pontífice pidió una investigación interna que no dejó títere con cabeza. Marcelo se salvó de ir a prisión porque estaba muerto, pero todos los demás, incluyendo al Secretario de Estado, fueron encarcelados. Algunos científicos desaparecieron misteriosamente.

La estadía de Ana, que pensó sería de un mes, se convirtió en dos, después en tres y así siguió en aquel paraíso sin deseos de regresar a Estados Unidos. Un mes atrás recibió la fortuna que su padre le dejó en herencia, Ana había comprendido que Marcelo robaba información clasificada y la vendía, ese era el origen de aquella riqueza, pero pensó en su hijo, en ella como madre soltera si Salvador no aparecía, y tomó el dinero como una bendición que le llegaba en el momento justo.

El día que cumplió cinco meses de embarazo se despertó más temprano de lo normal y se sintió inquieta. Salió del lecho y fue hasta la terraza, contempló el mar buscando el alivio que siempre hallaba en esa visión marina. El oleaje en su incesante devenir le recordaba que todo es efímero, pero que un instante puede ser para siempre. De pronto vislumbró una silueta que reconoció en el acto, caminaba hacia la finca, sintió un vuelco en el estómago y estuvo a punto de caerse cuando salió corriendo mientras gritaba emocionada.

—¡Salvador! ¡Salvador! ¡Salvador! —gritó mientras iba a su encuentro y él corría hacia ella hasta que se encontraron en un abrazo. Desde ese día no se separaron jamás.

***

Ana los veía desde su terraza. Salvador estaba con Eustaquio y Chris, su hijo, jugaba con Mark en la orilla de la playa.

Ya no sentía recelos de Mark, pronto se dio cuenta de que cuando él aparecía por allí, era porque acompañaba a un enfermo. Cuando finalizaba la estadía del paciente, como solía decir él, desaparecía. Una vez Ana le preguntó a Salvador adónde iba ese hombre, y él le respondió que lo ignoraba. Sabía que era un ángel que cumplía ciertas misiones en este planeta desde tiempos inmemoriales.

—¿Un ángel? —preguntó Ana incrédula.

—En este mundo hay muchísimos ángeles —le dijo sonriendo—, pero no son fáciles de reconocer porque la gente está esperando, como tú, a un ser alado y resplandeciente.

Ana soltó una carcajada, era cierto, su marido la había pillado.

—Nunca imaginé que ese hombre despeinado, y con esa manía de ocultar la cadena con estrella de cinco puntas, fuera un ángel —dijo.

—Los ángeles brillan con una luz tan potente que enceguecen; solo se pueden ver detalles, a veces, insulsos. Sus acciones son las que nos dan pistas de su existencia —dijo Salvador—. También hay demonios, el mundo está lleno de ellos, y tampoco los reconocerías, aunque no lo creas, su luz es negra, hermosa y deslumbrante.

Ella se rio, y se sorprendió de lo bien que lo llevaba. Había aprendido a vivir en medio de misterios que ya veía como hechos naturales. Trabajaba como bióloga en el Centro de Investigaciones Marinas de la isla, y se sentía estupenda. Los primeros años observó a Chris con el temor de que hubiese heredado algún don de Salvador, pero felizmente era un chiquillo absolutamente normal.

Salvador le contó que él era mortal, sentía dolor, amaba, y también sentía miedo o rabia. Le explicó que, afortunadamente, Lucius había completado el segmento de ADN que substrajo de la muestra, con un fragmento de genes que pertenecía a Judas McLife.

—Judas y yo estamos emparentados estrechamente —le dijo.

Ana no entendía por qué Lucius hizo eso; Salvador le reveló que el científico había sentido miedo de involucrarse genéticamente con su experimento, por eso aprovechó las muestras de unos exámenes que se estaba haciendo Judas para completar esa parte del trabajo. Nunca le reprocharon nada a Lucius, ni siquiera le dijeron que conocían su secreto. Él y Simonetta iban una vez al año a visitarlos, encubiertos en sus respectivas identidades, por supuesto. Para el mundo eran la doctora Gina Parisi y el doctor Robert Jaeger. Nunca vieron a Mark e ignoraban que Salvador continuaba haciendo curaciones milagrosas.

Salvador comenzó a trabajar en la Universidad, estaba adscrito al cuerpo de biólogos, como Ana, y pasaba la mayor parte del tiempo buceando y estudiando la flora y la fauna marina del lugar. Sus aportes fueron determinantes para mejorar el hábitat de las especies. Se dice que muchas veces se puede ver un resplandor verdoso, como una irradiación, cerca de las zonas que él explora. Algunos aseguran que se han sanado milagrosamente después de regresar de un viaje a esas playas, y mucha gente comenzó a visitar el hotel, pero nadie pudo encontrar jamás a Edward Kemp, porque solo sanan los elegidos por el hombre con la estrella de cinco puntas.

Epílogo

Y de pronto el recuerdo surge.

Marcel Proust

Aquella mañana Eustaquio se levantó lleno de vitalidad, saltó de la cama con la agilidad de un chico, y fue a ducharse. Acostumbrado a largas horas de introspección desde que la enfermedad lo fue postrando, aprendió a conocer hasta los cambios imperceptibles que se daban en su cuerpo. Por eso se percató de la súbita mejoría que se iba operando en él a medida que pasaban los días, sobre todo, después de hablar con Edward Kemp, aquel hombre que, a pesar de su juventud, daba la impresión de ser mayor. La madurez de sus palabras, la paz que trasmitía, la seguridad de sus actos, y el conocimiento ancestral que emanaba de sus largas disertaciones, hacían dudar que solo tuviera treinta y cuatro años, como le había dicho. Recordó retazos de las conversaciones que había tenido con aquel joven, mientras se encaminaba con paso ligero hacia el comedor del hotel.

La primera vez que hablaron fue la mañana en que llegó a esa playa paradisiaca de Punta Cana, la brisa soplaba suave como una caricia. Estaban sentados en las sillas que el hotel reservaba para los visitantes, y Eustaquio comenzó a sentir una extraña somnolencia y se quedó dormido. En ese estado tuvo la sensación de que su amigo le había agarrado la cabeza con ambas manos y, mientras trataba de abrir los ojos, sintió un latigazo de energía sacudiéndole el cuerpo. Luego lo embargó un bienestar que hacía muchos años que no experimentaba. Cuando se despertó se encontraba solo, y pensó que había tenido un sueño.

Al otro día encontró de nuevo a Edward, de inmediato se saludaron y comenzaron a pasear por la orilla de la playa mientras conversaban. Cuando estaban lejos del hotel se sentaron a descansar y Eustaquio tuvo la misma sensación de caer en un sueño repentino. Pero esa vez, cuando abrió los ojos, Edward estaba absorto, con la mirada perdida en el horizonte. Dejó transcurrir unos segundos antes de interrumpirlo.

—¿Te sientes bien? —le preguntó Eustaquio.

—Disculpa —respondió saliendo de su ensimismamiento—. A veces suelo perderme en la belleza azul del mar, el poeta Rimbaud la llamaba eternidad —acotó—. Estoy bien, soy un hombre dichoso, bendecido.

—Tu relato es fascinante —dijo Eustaquio algo somnoliento todavía y sin comprender la referencia que hizo al poeta y la eternidad—, me gustaría conocer el final, la moraleja...

—Te veo con mejor ánimo —dijo el joven con una sonrisa.

—Es cierto, me siento muy bien, tu historia es milagrosa.

La recuperación no fue inmediata, Eustaquio era consciente de eso, pero intuía que aquel hombre tenía que ver con esa mejoría, no podía afirmarlo, no tenía argumentos, incluso, se dijo, a lo mejor, por el inesperado alivio, se estaba inventando la historia. La verdad era que en aquellos cuatro días había experimentado un cambio insólito en su salud. Ya no rengueaba, los dolores fueron desapareciendo y comenzó a dormir como un niño. Aquella mañana, particularmente se sentía feliz, a pesar de que era su ultimo día en la isla, esa tarde partiría rumbo a su ciudad. Mientras iba a desayunar pensó que, apenas terminara de comer, iría a buscar a su joven amigo para charlar un rato y luego despedirse.

Así lo hizo, pero no lo encontró por ninguna parte. Cuando les preguntó a los empleados, que siempre estaban por allí, por Edward Kemp, no supieron decirle nada, Eustaquio hizo hincapié en que era imposible que no los hubiesen visto juntos porque era el único visitante de la playa con quien él se reunió y con quien hablaba. Los empleados lo observaron con extrañeza y le juraron que nunca lo vieron con nadie.

Eustaquio los miró malhumorado y se marchó sin despedirse de ellos. Siguió buscando a Edward durante un buen rato, pero no tuvo éxito. Nadie lo conocía. Se detuvo frente a la playa, en el mismo lugar donde un día antes había estado conversando con su joven amigo. En esa oportunidad vio a otras personas en la playa, que lo saludaron desde lejos, y luego continuaron su recorrido. Alguien se le acercó por la espalda y le habló.

—Disculpa que no los haya presentado, Eustaquio —le dijo señalando al pequeño grupo que se alejaba— Esos en la playa son mi esposa Eva, mi hijo Chris y mi buen amigo Mark. Ahora debo ir con ellos —dijo extendiéndole una mano, mientras le sonreía cálidamente.

Eustaquio le estrechó la mano fuertemente, y de nuevo sintió una energía potente que le recorría el cuerpo.

—Que la paz esté contigo —le dijo, luego se alejó a paso rápido en dirección a su familia.

Sentado en una silla del lobby del hotel, mientras bajaban su equipaje, analizó todo lo que le había pasado y llegó a la conclusión de que se había tratado de una alucinación causada por el exceso de sol. ¿De qué otra forma podía explicar lo ocurrido?

Eustaquio nunca pudo quitarse la idea de que Edward Kemp lo había curado, es más, se dijo que aquel joven era el mismísimo Salvador, estaba seguro de ello. Al año siguiente regresó a Punta Cana y revisó la playa de arriba abajo, los días que estuvo allí se dedicó a buscar a su amigo, del que nadie supo darle razón. Desde el hotel hizo una búsqueda de detectives en Santo Domingo y contrató al que le pareció mejor. Tres meses después recibió un reporte de aquel hombre que se excusaba por no poder darle ningún dato, según sus averiguaciones esa persona no existía.

Pasaron los años y aunque seguía obsesionado con la historia de Salvador y la playa, esta se había esfumando poco a poco en su mente hasta quedar tan solo como un vestigio de su imaginación.

Sin embargo, Eustaquio mantuvo la idea de visitar Canadá y convenció a su hija para que lo acompañara. Su nieto estaba feliz con la noticia, porque le encantaba que le contara la historia de Salvador, como la llamaba Eustaquio. Al siguiente mes emprendieron el viaje y manejaron por un largo tiempo, padre e hija se turnaban para conducir. Justo cuando se hallaban en una zona alejada de la ciudad, el auto comenzó a fallar. La hija de Eustaquio, que iba conduciendo en ese momento, se estacionó en el arcén. Cuando se disponía a bajarse del automóvil vio por el retrovisor un auto de policía que llegaba a toda velocidad con la sirena encendida. Se quedó sentada, con la puerta entreabierta, mientras observaba a un hombre de aspecto malhumorado que se bajó de su vehículo maldiciendo.

—Bueno ¿qué tenemos aquí?

—Nos hemos accidentado.

El oficial se quitó los guantes, abriendo el capot que se había enfriado un poco.

—Señora, el problema es la manguera del radiador. Lamentablemente hay que buscar un repuesto en la estación de gasolina más cercana.

La patrulla arrancó y condujeron cerca de media hora hasta divisar la única estación de servicio en millas a la redonda.

—¿Conoce a alguien agente?

—Sí, mi madre es la propietaria. Es mejor que el joven y la señora pasen adentro que hay aire acondicionado —espéreme aquí, que debo ver si existe la pieza en el inventario.

—Gracias por su amabilidad —le dijo Eustaquio, mientras revisaba encantado los restos de vehículos. Comenzó a caminar y cuando había avanzado cerca de cien metros, notó un dibujo en una puerta blanca y desgastada de una camioneta.

—¿Qué le pasa abuelo, le parece familiar algo?

Se acercó al vehículo y limpió el polvo con su mano. Una hélice doble de ADN y un tridente quedó al descubierto. Eustaquio no podía creer lo que estaba viendo. Se le puso la piel de gallina y sintió un nudo en la garganta.

—¿Qué le pasa?, parece que hubiera visto un fantasma.

—Casi, casi. Podría decirme algo, ¿de dónde salió este vehículo?

—Lo tenemos aquí desde hace muchos años. Fue donado por mi padre. Nos abandonó cuando yo era niño y se fugó con una vendedora de pizzas. Años después, cuando compramos la estación pensó que nos sería útil, pero se equivocó.

—¿Y cuál es el apellido de su padre?

El patrullero se limpió su distintivo y el anciano pudo leer su nombre completo: Vincent McLife.

—Mi padre se llama Judas McLife. Horrendo nombre, ¿no le parece? Gracias a Dios que me pusieron el nombre de mi abuelo. Seguro que nunca oyó hablar de Judas. La gente que lo conoció dice que tuvo una vida muy agitada.

El patrullero se quedó viendo al anciano y trató de captar su atención.

—Disculpe si le he incomodado, pero usted no es el único que ha mostrado interés por ese tridente. Hace dos días alguien se detuvo a poner combustible, y luego de revisar la chatarra, también preguntó por el dibujo del ADN. Venía de visita a un Complejo científico cercano a la intersección donde se accidentaron.

Eustaquio seguía mudo. No podía creer lo que había escuchado. Su corazón se aceleró, después de tantos años pensando una y otra vez en aquel encuentro.

Abandonaron la estación de servicios y luego de seguir la carretera llegaron al laboratorio, que ya estaba libre, pero lleno de escombros y cuadrillas de empleados que trabajaban en la construcción de un nuevo Complejo.

De cualquier forma, él quería visitar el bosque, ver las inmediaciones, conocer aquellos escenarios en los que nació el hombre más extraordinario que había conocido. Vadearon la zona de trabajo y se internaron en el bosque, la hija de Eustaquio estaba nerviosa porque unas nubes negras presagiaban una tormenta, pero él estaba resuelto a seguir, nuevos bríos lo impulsaban a caminar por aquellos senderos desolados y abandonados años atrás. Su nieto lo seguía de cerca, pero se entretenía con la belleza del lugar, la mujer iba rezagada.

Al fin llegaron al viejo cementerio. Una inmensa reja oxidada se movía sacudida por el viento, Eustaquio entró con seguridad. Caminó despacio observando algunas tumbas, entre los relámpagos y centellas que comenzaron a caer, de pronto sintió que alguien le puso una mano sobre el hombro y se quedó petrificado.

—Él trabaja de formas misteriosas —comentó una voz—. No encontrarás la cruz que estás buscando —agregó—. Ha pasado mucho tiempo desde la última vez que nos vimos, amigo Eustaquio. Dime, ¿ha cambiado tu vida?

Eustaquio se giró y vio su rostro iluminado por una sonrisa. Era él, Salvador. Lo reconoció de inmediato. El joven lo miró a los ojos y, finalmente, Eustaquio Lucas entendió a qué había ido hasta ese lugar.

A lo lejos, el nieto vio cómo su abuelo se llevaba una mano al pecho y luego caía sobre una lápida sin nombre.

Fin

Leopoldo Brandt Graterol
Morrisville, Carolina del Norte
Otoño del 2019

Leopoldo Brandt Graterol

Nació y creció en la ciudad de Caracas, Venezuela, donde obtuvo su título de abogado en la Universidad Católica Andrés Bello y posteriormente obtuvo su maestría en Leyes en la Universidad de Texas en Austin. Su pasión por el impacto de las tecnologías en las leyes lo llevó a publicar varios artículos de opinión en el diario venezolano *El Universal* y otras revistas como *PC Magazine, Producto y Poder* y jornales especializados como *Ámbito Jurídico-Legis*, de cuyo periódico también fungió como director editorial. En 1991 publicó su innovadora obra *«Páginas Web, Condiciones, Políticas y Términos Legales»* (Legis), que trata sobre las *letras chiquitas* en las páginas web. En el 2001, crea la primera cátedra sobre «Aspectos Legales de Internet», para pregrado en la Facultad Derecho de su *alma mater* donde funge como profesor, dictando igualmente dicha asignatura en el post-grado de Derecho Mercantil de la misma. Ha asistido también como profesor invitado en la Unimet, UCV y Universidad del Táchira. En el 2003 publica en coautoría la obra *«Evaluating Web Sites for Legal Compliance: Basics for Web Site Legal Auditing»* (Scarecrow Press).

Cinco puntas es su primera novela.

www.leopoldobrandtgraterol.com

Lector Cómplice

Es una expresión del escritor argentino Julio Cortázar (Bruselas, 26 de agosto de 1914 – París, 12 de febrero de 1984), utilizada en su novela *Rayuela* (1963) para referirse a un tipo de lector contrapuesto al lector pasivo. Hemos tomado esta frase como una forma de rendirle tributo al insigne maestro de universos fantásticos, que continúa existiendo en dimensiones que apenas atisbamos en sueños, a través de la literatura, o en los reinos de la imaginación.

Editorial Lector Cómplice se ha impulsado mediante un financiamiento personal y apuesta por la literatura venezolana.

lectorcomplice.com

058+414.380.0403

editorial.lectorcomplice@gmail.com

@LectorComplic

Lector Complice

@LectorComplice

Índice

Esta edición de *Cinco puntas* de Leopoldo Brandt Graterol, fue realizada por Editorial Lector cómplice® en la ciudad de Caracas en el mes de diciembre del año 2020. En su composición se emplearon tipos de la familia Garamond Pro.

Made in USA - Kendallville, IN
1219263_9798583060740
12.30.2020 0843